DER WAHN UND DIE TRÄUME IN W. JENSENS »GRADIVA«

SIGMUND FREUD

Herausgeber: Culturea (34, Hérault)
Druck: BOD - In de Tarpen 42, Norderstedt (Deutschland)
Website: http://culturea.fr
Kontakt: infos@culturea.fr
ISBN:9782385085940
Veröffentlichungsdatum: November 2022
Layout und Design: https://reedsy.com/
Dieses Buch wurde mit der Schriftart Bauer Bodoni gesetzt.

ER WIRT MIR GEBEN

KAPITEL I

In einem Kreise von Männern, denen es als ausgemacht gilt, daß die wesentlichsten Rätsel des Traumes durch die Bemühung des Verfassers gelöst worden sind, erwachte eines Tages die Neugierde, sich um jene Träume zu kümmern, die überhaupt niemals geträumt worden, die von Dichtern geschaffen und erfundenen Personen im Zusammenhange einer Erzählung beigelegt werden. Der Vorschlag, diese Gattung von Träumen einer Untersuchung zu unterziehen, mochte müßig und befremdend erscheinen; von einer Seite her konnte man ihn als berechtigt hinstellen. Es wird ja keineswegs allgemein geglaubt, daß der Traum etwas Sinnvolles und Deutbares ist. Die Wissenschaft und die Mehrzahl der Gebildeten lächeln, wenn man ihnen die Aufgabe einer Traumdeutung stellt; nur das am Aberglauben hängende Volk, das hierin die Überzeugungen des Altertums fortsetzt, will von der Deutbarkeit der Träume nicht ablassen, und der Verfasser der Traumdeutung hat es gewagt, gegen den Einspruch der gestrengen Wissenschaft Partei für die Alten und für den Aberglauben zu nehmen. Er ist allerdings weit davon entfernt, im Traume eine Ankündigung der Zukunft anzuerkennen, nach deren Enthüllung der Mensch seit jeher mit allen unerlaubten Mitteln vergeblich strebt. Aber völlig konnte auch er nicht die Beziehung des Traumes zur Zukunft verwerfen, denn nach Vollendung einer mühseligen Übersetzungsarbeit erwies sich ihm der Traum als ein erfüllt dargestellter Wunsch des Träumers, und wer könnte bestreiten, daß Wünsche sich vorwiegend der Zukunft zuzuwenden pflegen.

Ich sagte eben: der Traum sei ein erfüllter Wunsch. Wer sich nicht scheut, ein schwieriges Buch durchzuarbeiten, wer nicht fordert, daß ein verwickeltes Problem zur Schonung seiner Bemühung und auf Kosten von Treue und Wahrheit ihm als leicht und einfach vorgehalten werde, der mag in der erwähnten »Traumdeutung« den weitläufigen Beweis für diesen Satz aufsuchen und bis dahin die ihm sicherlich aufsteigenden Einwendungen gegen die Gleichstellung von Traum und Wunscherfüllung zur Seite drängen.

Aber wir haben weit vorgegriffen. Es handelt sich noch gar nicht darum, festzustellen, ob der Sinn eines Traumes in jedem Falle durch einen erfüllten Wunsch wiederzugeben sei, oder nicht auch ebenso häufig durch eine ängstliche Erwartung, einen Vorsatz, eine Überlegung u. s. w. Vielmehr steht erst in Frage, ob der Traum überhaupt einen Sinn habe, ob man ihm den Wert eines seelischen Vorganges zugestehen solle. Die Wissenschaft antwortet mit Nein, sie erklärt das Träumen für einen bloß physiologischen Vorgang, hinter dem man also Sinn, Bedeutung, Absicht nicht zu suchen brauche. Körperliche Reize spielten während des Schlafes auf dem seelischen Instrument und brächten so bald diese, bald jene der alles seelischen Zusammenhaltes beraubten Vorstellungen zum Bewußtsein. Die Träume wären nur Zuckungen, nicht aber Ausdrucksbewegungen des Seelenlebens vergleichbar.

In diesem Streite über die Würdigung des Traumes scheinen nun die Dichter auf derselben Seite zu stehen wie die Alten, wie das abergläubische Volk und wie der Verfasser der »Traumdeutung«. Denn wenn sie die von ihrer Phantasie gestalteten Personen träumen lassen, so folgen sie der alltäglichen Erfahrung, daß das Denken und Fühlen der Menschen sich in den Schlaf hinein fortsetzt, und suchen nichts anderes, als die Seelenzustände ihrer Helden durch deren Träume zu schildern. Wertvolle Bundesgenossen sind aber die Dichter und ihr Zeugnis ist hoch anzuschlagen, denn sie pflegen eine Menge von Dingen zwischen Himmel und Erde zu wissen, von denen sich unsere Schulweisheit noch nichts träumen läßt. In der Seelenkunde gar sind sie uns Alltagsmenschen weit voraus, weil sie da aus Quellen schöpfen, welche wir noch nicht für die Wissenschaft erschlossen haben. Wäre diese Parteinahme der Dichter für die sinnvolle Natur der Träume nur unzweideutiger! Eine schärfere Kritik könnte ja einwenden, der Dichter nehme weder für noch gegen die psychische Bedeutung des einzelnen Traumes Partei; er begnüge sich zu zeigen, wie die schlafende Seele unter den Erregungen aufzuckt, die als Ausläufer des Wachlebens in ihr kräftig verblieben sind.

Unser Interesse für die Art, wie sich die Dichter des Traumes bedienen, ist indes auch durch diese Ernüchterung nicht gedämpft. Wenn uns die Untersuchung auch nichts Neues über das Wesen der Träume lehren sollte, vielleicht gestattet sie uns von diesem Winkel aus einen kleinen Einblick in die Natur der dichterischen Produktion. Die wirklichen Träume gelten zwar bereits als zügellose und regelfreie Bildungen, und nun erst die freien Nachbildungen solcher Träume! Aber es gibt viel weniger Freiheit und Willkür im Seelenleben, als wir geneigt sind anzunehmen; vielleicht überhaupt keine. Was wir in der Welt draußen Zufälligkeit heißen, löst sich bekanntermaßen in Gesetze auf; auch was wir im Seelischen Willkür heißen, ruht auf – derzeit erst dunkel geahnten – Gesetzen. Sehen wir also zu!

Es gäbe zwei Wege für diese Untersuchung. Der eine wäre die Vertiefung in einen Spezialfall, in die Traumschöpfungen eines Dichters in einem seiner Werke. Der andere bestünde im Zusammentragen und Gegeneinanderhalten all der Beispiele, die sich in den Werken verschiedener Dichter von der Verwendung der Träume finden lassen. Der zweite Weg scheint der bei weitem trefflichere zu sein, vielleicht der einzig berechtigte, denn er befreit uns sofort von den Schädigungen, die mit der Aufnahme des künstlichen Einheitsbegriffes »der Dichter« verbunden sind. Diese Einheit zerfällt bei der Untersuchung in die so sehr verschiedenwertigen Dichterindividuen, unter denen wir in einzelnen die tiefsten Kenner des menschlichen Seelenlebens zu verehren gewohnt sind. Dennoch aber werden diese Blätter von einer Untersuchung der ersten Art ausgefüllt sein. Es hatte sich in jenem Kreise von Männern, unter denen die Anregung auftauchte, so gefügt, daß jemand sich besann, in dem Dichtwerke, das zuletzt sein Wohlgefallen erweckt, wären mehrere Träume enthalten gewesen, die ihn gleichsam mit vertrauten Zügen angeblickt hätten und ihn einlüden, die Methode der »Traumdeutung« an ihnen zu versuchen. Er gestand zu, Stoff und Örtlichkeit der kleinen Dichtung wären wohl an der Entstehung seines Wohlgefallens hauptsächlich beteiligt gewesen, denn die Geschichte spiele auf dem Boden von Pompeji und handle von einem jungen Archäologen, der das Interesse für das Leben gegen das an den Resten der klassischen Vergangenheit hingegeben hätte und nun auf einem merkwürdigen, aber völlig korrekten Umwege ins Leben zurückgebracht werde. Während der Behandlung dieses echt poetischen Stoffes rege sich allerlei Verwandtes und dazu Stimmendes im Leser. Die Dichtung aber sei die kleine Novelle »Gradiva« von Wilhelm Jensen, vom Autor selbst als »pompejanisches Phantasiestück« bezeichnet.

Und nun müßte ich eigentlich alle meine Leser bitten, dieses Heft aus der Hand zu legen und es für eine ganze Weile durch die 1903 im Buchhandel erschienene »Gradiva« zu ersetzen, damit ich mich im weiteren auf Bekanntes beziehen kann. Denjenigen aber, welche die »Gradiva« bereits gelesen haben, will ich den Inhalt der Erzählung durch einen kurzen Auszug ins Gedächtnis zurückrufen, und rechne darauf, daß ihre Erinnerung allen dabei abgestreiften Reiz aus eigenem wiederherstellen wird.

Ein junger Archäologe, Norbert Hanold, hat in einer Antikensammlung Roms ein Reliefbild entdeckt, das ihn so ausnehmend angezogen, daß er sehr erfreut gewesen ist, einen vortrefflichen Gipsabguß davon erhalten zu können, den er in seiner Studierstube in einer deutschen Universitätsstadt aufhängen und mit Interesse studieren kann. Das Bild stellt ein reifes junges Mädchen im Schreiten dar, welches ihr reichfaltiges Gewand ein wenig aufgerafft hat, so daß die Füße in den Sandalen sichtbar werden. Der eine Fuß ruht ganz auf dem Boden, der andere hat sich zum Nachfolgen vom Boden abgehoben und berührt ihn nur mit den Zehenspitzen, während Sohle und Ferse sich fast senkrecht emporheben. Der hier dargestellte ungewöhnliche und besonders reizvolle Gang hatte wahrscheinlich die Aufmerksamkeit des Künstlers erregt und fesselt nach so viel Jahrhunderten nun den Blick unseres archäologischen Beschauers.

Dies Interesse des Helden der Erzählung für das geschilderte Reliefbild ist die psychologische Grundtatsache unserer Dichtung. Es ist nicht ohne weiteres erklärbar. »Doktor Norbert Hanold, Dozent der Archäologie, fand eigentlich für seine Wissenschaft an dem Relief nichts sonderlich Beachtenswertes.« (Gradiva p. 3.) »Er wußte sich nicht klarzustellen, was daran seine Aufmerksamkeit erregt habe, nur daß er von etwas angezogen worden und diese Wirkung sich seitdem unverändert forterhalten habe.« Aber seine Phantasie läßt nicht ab, sich mit dem Bilde zu beschäftigen. Er findet etwas »Heutiges« darin, als ob der Künstler den Anblick auf der Straße »nach dem Leben« festgehalten habe. Er verleiht dem im Schreiten dargestellten Mädchen einen Namen: »Gradiva«, die »Vorschreitende«; er fabuliert, sie sei gewiß die Tochter eines vornehmen Hauses, vielleicht »eines patrizischen Aedilis, der sein Amt im Namen der Ceres ausübte«, und befinde sich auf dem Wege zum Tempel der Göttin. Dann widerstrebt es ihm, ihre ruhige stille Art in das Getriebe einer Großstadt einzufügen, vielmehr erschafft er sich die Überzeugung, daß sie nach Pompeji zu versetzen sei und dort irgendwo auf den wieder ausgegrabenen eigentümlichen Trittsteinen schreite, die bei regnerischem Wetter einen trockenen Übergang von einer Seite der Straße zur anderen ermöglicht und doch auch Durchlaß für Wagenräder gestattet hatten. Ihr Gesichtsschnitt dünkt ihm griechischer Art, ihre hellenische Abstammung unzweifelhaft; seine ganze Altertumswissenschaft stellt sich allmählich in den Dienst dieser und anderer auf das Urbild des Reliefs bezüglichen Phantasien.

Dann aber drängt sich ihm ein angeblich wissenschaftliches Problem auf, das nach Erledigung verlangt. Es handelt sich für ihn um eine kritische Urteilsabgabe, »ob der Künstler den Vorgang des Ausschreitens bei der Gradiva dem Leben entsprechend wiedergegeben habe«. Er selbst vermag ihn an sich nicht hervorzurufen; bei der Suche nach der »Wirklichkeit« dieser Gangart gelangt er nun dazu, »zur Aufhellung der Sache selbst Beobachtungen nach dem Leben anzustellen«. (G. p. 9.) Das nötigt ihn allerdings zu einem ihm durchaus fremdartigen Tun. »Das weibliche Geschlecht war bisher für ihn nur ein Begriff aus Marmor oder Erzguß gewesen, und er hatte seinen zeitgenössischen Vertreterinnen desselben niemals die geringste Beachtung geschenkt.« Pflege der Gesellschaft war ihm immer nur als unabweisbare Plage erschienen; junge Damen, mit denen er dort zusammentraf, sah und hörte er so wenig, daß er bei einer nächsten Begegnung grußlos an ihnen vorüberging, was ihn natürlich in kein günstiges Licht bei ihnen brachte. Nun aber nötigte ihn die wissenschaftliche Aufgabe, die er sich gestellt, bei trockener, besonders aber bei nasser Witterung eifrig nach den sichtbar werdenden Füßen der Frauen und Mädchen auf der Straße zu schauen, welche Tätigkeit ihm manchen unmutigen und manchen ermutigenden Blick der so Beobachteten eintrug; »doch kam ihm das eine so wenig zum Verständnis wie das andere«. (G. p. 10.) Als Ergebnis dieser sorgfältigen Studien mußte er finden, daß die Gangart der Gradiva in der Wirklichkeit nicht nachzuweisen war, was ihn mit Bedauern und Verdruß erfüllte.

Bald nachher hatte er einen schreckvoll beängstigenden Traum, der ihn in das alte Pompeji am Tage des Vesuvausbruches versetzte und zum Zeugen des Unterganges der Stadt machte. »Wie er so am Rande des Forums neben dem Jupitertempel stand, sah er plötzlich in geringer Entfernung die Gradiva vor sich; bis dahin hatte ihn kein Gedanke an ihr Hiersein angerührt, jetzt aber ging ihm auf einmal und als natürlich auf, da sie ja eine Pompejanerin sei, lebe sie in ihrer Vaterstadt und, ohne daß er's geahnt habe, gleichzeitig mit ihm.« (G. p. 12.) Angst um das ihr bevorstehende Schicksal entlockte ihm einen Warnruf, auf den die gleichmütig fortschreitende Erscheinung ihm ihr Gesicht zuwendete. Sie setzte aber dann unbekümmert ihren Weg bis zum Portikus des Tempels fort, setzte sich dort auf eine Treppenstufe und legte langsam den Kopf auf diese nieder, während ihr Gesicht sich immer blasser färbte, als ob es sich zu weißem Marmor umwandle. Als er ihr nacheilte, fand er sie mit ruhigem Ausdruck wie schlafend auf der breiten Stufe hingestreckt, bis dann der Aschenregen ihre Gestalt begrub.

Als er erwachte, glaubte er noch das verworrene Geschrei der nach Rettung suchenden Bewohner Pompejis und die dumpf dröhnende Brandung der erregten See im Ohre zu haben. Aber auch nachdem die wiederkehrende Besinnung diese Geräusche als die weckenden Lebensäußerungen der lärmenden Großstadt erkannt hatte, behielt er für eine lange Zeit den Glauben an die Wirklichkeit des Geträumten; als er sich endlich von der Vorstellung frei gemacht, daß er selbst vor bald zwei Jahrtausenden dem Untergang Pompejis beigewohnt, verblieb ihm doch wie eine wahrhafte Überzeugung, daß die Gradiva in Pompeji gelebt und dort im Jahre 79 mit verschüttet worden sei. Solche Fortsetzung fanden seine Phantasien über die Gradiva durch die Nachwirkung dieses Traumes, daß er sie jetzt erst wie eine Verlorene betrauerte.

Während er, von diesen Gedanken befangen, aus dem Fenster lehnte, zog ein Kanarienvogel seine Aufmerksamkeit auf sich, der an einem offenstehenden Fenster des Hauses gegenüber im Käfig sein Lied schmetterte. Plötzlich durchfuhr etwas wie ein Ruck den, wie es scheint, noch nicht völlig aus seinem Traum Erwachten. Er glaubte, auf der Straße eine Gestalt wie die seiner Gradiva gesehen und selbst den für sie charakteristischen Gang erkannt zu haben, eilte unbedenklich auf die Straße, um sie einzuholen, und erst das Lachen und Spotten der Leute über seine unschickliche Morgenkleidung trieb ihn rasch wieder in seine Wohnung zurück. In seinem Zimmer war es wieder der singende Kanarienvogel im Käfig, der ihn beschäftigte und ihn zum Vergleiche mit seiner eigenen Person anregte. Auch er sitze wie im Käfig, fand er, doch habe er es leichter, seinen Käfig zu verlassen. Wie in weiterer Nachwirkung des Traumes, vielleicht auch unter dem Einflusse der linden Frühlingsluft gestaltete sich in ihm der Entschluß einer Frühjahrsreise nach Italien, für welche ein wissenschaftlicher Vorwand bald gefunden wurde, wenn auch »der Antrieb zu dieser Reise ihm aus einer unbenennbaren Empfindung entsprungen war«. (G. p. 24.)

Bei dieser merkwürdig locker motivierten Reise wollen wir einen Moment Halt machen und die Persönlichkeit wie das Treiben unseres Helden näher ins Auge fassen. Er erscheint uns noch unverständlich und töricht; wir ahnen nicht, auf welchem Wege seine besondere Torheit sich mit der Menschlichkeit verknüpfen wird, um unsere Teilnahme zu erzwingen. Es ist das Vorrecht des Dichters, uns in solcher Unsicherheit belassen zu dürfen; mit der Schönheit seiner Sprache, der Sinnigkeit seiner Einfälle lohnt er uns vorläufig das Vertrauen, das wir ihm schenken, und die Sympathie, die wir, noch unverdient, für seinen Helden bereithalten. Von diesem teilt er uns noch mit, daß er schon durch die Familientradition zum Altertumsforscher bestimmt, sich in seiner späteren Vereinsamung und Unabhängigkeit ganz in seine Wissenschaft versenkt und ganz vom Leben und seinen Genüssen abgewendet hat. Marmor und Bronze waren für sein Gefühl das einzig wirklich Lebendige, den Zweck und Wert des Menschenlebens zum Ausdruck Bringende. Doch hatte vielleicht in wohlmeinender Absicht die Natur ihm ein Korrektiv durchaus unwissenschaftlicher Art ins Blut gelegt, eine überaus lebhafte Phantasie, die sich nicht nur in Träumen, sondern auch oft im Wachen zur Geltung bringen konnte. Durch solche Absonderung der Phantasie vom Denkvermögen mußte er zum Dichter oder zum Neurotiker bestimmt sein, gehörte er jenen Menschen an, deren Reich nicht von dieser Welt ist. So konnte es sich ihm ereignen, daß er mit seinem Interesse an einem Reliefbild hängen blieb, welches ein eigentümlich schreitendes Mädchen darstellte, daß er dieses mit seinen Phantasien umspann, ihm Namen und Herkunft fabulierte, und die von ihm geschaffene Person in das vor mehr als 1800 Jahren verschüttete Pompeji versetzte, endlich nach einem merkwürdigen Angsttraum die Phantasie von der Existenz und dem Untergang des Gradiva genannten Mädchens zu einem Wahn erhob, der auf sein Handeln Einfluß gewann. Sonderbar und undurchsichtig würden uns diese Leistungen der Phantasie erscheinen, wenn wir ihnen bei einem wirklich Lebenden begegnen würden. Da unser Held Norbert Hanold ein Geschöpf des Dichters ist, möchten wir etwa an diesen die schüchterne Frage richten, ob seine Phantasie von anderen Mächten als von ihrer eigenen Willkür bestimmt worden ist.

Unseren Helden hatten wir verlassen, als er sich anscheinend durch das Singen eines Kanarienvogels zu einer Reise nach Italien bewegen ließ, deren Motiv ihm offenbar nicht klar war. Wir erfahren weiter, daß auch Ziel und Zweck dieser Reise ihm nicht feststand. Eine innere Unruhe und Unbefriedigung treibt ihn von Rom nach Neapel und von da weiter weg. Er gerät in den Schwarm der Hochzeitsreisenden und genötigt, sich mit den zärtlichen »August« und »Grete« zu beschäftigen, findet er sich ganz außer stande, das Tun und Treiben dieser Paare zu verstehen. Er kommt zu dem Ergebnis, unter allen Torheiten der Menschen »nehme jedenfalls das Heiraten, als die größte und unbegreiflichste, den obersten Rang ein, und ihre sinnlosen Hochzeitsreisen nach Italien setzten gewissermaßen dieser Narretei die Krone auf«. (G. p. 27.) In Rom durch die Nähe eines zärtlichen Paares in seinem Schlaf gestört, flieht er alsbald nach Neapel, nur um dort andere »August und Grete« wiederzufinden. Da er aus deren Gesprächen zu entnehmen glaubt, daß die Mehrheit dieser Vogelpaare nicht im Sinne habe, zwischen dem Schutt von Pompeji zu nisten, sondern den Flug nach Capri zu richten, beschließt er, das zu tun, was sie nicht täten, und befindet sich »wider Erwarten und Absicht« wenige Tage nach seiner Abreise in Pompeji.

Ohne aber dort die Ruhe zu finden, die er gesucht. Die Rolle, welche bis dahin die Hochzeitspaare gespielt, die sein Gemüt beunruhigt und seine Sinne belästigt hatten, wird jetzt von den Stubenfliegen übernommen, in denen er die Verkörperung des absolut Bösen und Überflüssigen zu erblicken geneigt wird. Beiderlei Quälgeister verschwimmen ihm zu einer Einheit; manche Fliegenpaare erinnern ihn an Hochzeitsreisende, reden sich vermutlich in ihrer Sprache auch »mein einziger August« und »meine süße Grete« an. Er kann endlich nicht umhin zu erkennen, »daß seine Unbefriedigung nicht allein durch das um ihn herum Befindliche verursacht werde, sondern etwas ihren Ursprung auch aus ihm selbst schöpfe«. (G. p. 42.) Er fühlt, »daß er mißmutig sei, weil ihm etwas fehle, ohne daß er sich aufhellen könne, was«.

Am nächsten Morgen begibt er sich durch den »Ingresso« nach Pompeji und durchstreift nach Verabschiedung des Führers planlos die Stadt, merkwürdigerweise ohne sich dabei zu erinnern, daß er vor einiger Zeit im Traume bei der Verschüttung Pompejis zugegen gewesen. Als dann in der »heißen, heiligen« Mittagsstunde, die ja den Alten als Geisterstunde galt, die anderen Besucher sich geflüchtet haben, und die Trümmerhaufen verödet und sonnenglanzübergossen vor ihm liegen, da regt sich in ihm die Fähigkeit, sich in das versunkene Leben zurückzuversetzen, aber nicht mit Hilfe der Wissenschaft. »Was diese lehrte, war eine leblose archäologische Anschauung, und was ihr vom Mund kam, eine tote, philologische Sprache. Die verhalfen zu keinem Begreifen mit der Seele, dem Gemüt, dem Herzen, wie man's nennen wollte, sondern wer danach Verlangen in sich trug, der mußte als einzig Lebendiger allein in der heißen Mittagsstille hier zwischen den Überresten der Vergangenheit stehen, um nicht mit den körperlichen Augen zu sehen und nicht mit den leiblichen Ohren zu hören. Dann .... wachten die Toten auf und Pompeji fing an, wieder zu leben.« (G. p. 55.)

Während er so die Vergangenheit mit seiner Phantasie belebt, sieht er plötzlich die unverkennbare Gradiva seines Reliefs aus einem Hause heraustreten und leichtbehend über die Lavatrittsteine zur anderen Seite der Straße schreiten, ganz so, wie er sie im Traume jener Nacht gesehen, als sie sich wie zum Schlafen auf die Stufen des Apollotempels hingelegt hatte. »Und mit dieser Erinnerung zusammen kommt ihm noch etwas anderes zum erstenmal zum Bewußtsein: Er sei, ohne selbst von dem Antrieb in seinem Innern zu wissen, deshalb nach Italien und ohne Aufenthalt von Rom und Neapel bis Pompeji weitergefahren, um danach zu suchen, ob er hier Spuren von ihr auffinden könne. Und zwar im wörtlichen Sinne, denn bei ihrer besonderen Gangart mußte sie in der Asche einen von allen übrigen sich unterscheidenden Abdruck der Zehen hinterlassen haben.« (G. p. 58.)

Die Spannung, in welcher der Dichter uns bisher erhalten hat, steigert sich hier an dieser Stelle für einen Augenblick zu peinlicher Verwirrung. Nicht nur, daß unser Held offenbar aus dem Gleichgewicht geraten ist, auch wir finden uns angesichts der Erscheinung der Gradiva, die bisher ein Stein- und dann ein Phantasiebild war, nicht zurecht. Ist's eine Halluzination unseres vom Wahn betörten Helden, ein »wirkliches« Gespenst oder eine leibhaftige Person? Nicht daß wir an Gespenster zu glauben brauchten, um diese Reihe aufzustellen. Der Dichter, der seine Erzählung ein »Phantasiestück« benannte, hat ja noch keinen Anlaß gefunden uns aufzuklären, ob er uns in unserer, als nüchtern verschrieenen, von den Gesetzen der Wissenschaft beherrschten Welt belassen oder in eine andere phantastische Welt führen will, in der Geistern und Gespenstern Wirklichkeit zugesprochen wird.

Wie das Beispiel des Hamlet, des Macbeth, beweist, sind wir ohne Zögern bereit, ihm in eine solche zu folgen. Der Wahn des phantasievollen Archäologen wäre in diesem Falle an einem anderen Maßstabe zu messen. Ja, wenn wir bedenken, wie unwahrscheinlich die reale Existenz einer Person sein muß, die in ihrer Erscheinung jenes antike Steinbild getreulich wiederholt, so schrumpft unsere Reihe zu einer Alternative ein: Halluzination oder Mittagsgespenst. Ein kleiner Zug der Schilderung streicht dann bald die erstere Möglichkeit. Eine große Eidechse liegt bewegungslos im Sonnenlicht ausgestreckt, die aber vor dem herannahenden Fuß der Gradiva entflieht und sich über die Lavaplatten der Straße davonringelt. Also keine Halluzination, etwas außerhalb der Sinne unseres Träumers. Aber sollte die Wirklichkeit einer Rediviva eine Eidechse stören können?

Vor dem Hause des Meleager verschwindet die Gradiva. Wir verwundern uns nicht, daß Norbert Hanold seinen Wahn dahin fortsetzt, daß Pompeji in der Mittagsgeisterstunde rings um ihn her wieder zu leben begonnen habe, und so sei auch die Gradiva wieder aufgelebt und in das Haus gegangen, das sie vor dem verhängnisvollen Augusttage des Jahres 79 bewohnt hatte. Scharfsinnige Vermutungen über die Persönlichkeit des Eigentümers, nach dem dies Haus benannt sein mochte, und über die Beziehung der Gradiva zu ihm schießen durch seinen Kopf und beweisen, daß sich seine Wissenschaft nun völlig in den Dienst seiner Phantasie begeben hat. Ins Innere dieses Hauses eingetreten, entdeckt er die Erscheinung plötzlich wieder auf niedrigen Stufen zwischen zweien der gelben Säulen sitzend. »Auf ihren Knien lag etwas Weißes ausgebreitet, das sein Blick klar zu unterscheiden nicht fähig war; ein Papyrusblatt schien's zu sein ....« Unter den Voraussetzungen seiner letzten Kombination über ihre Herkunft spricht er sie griechisch an, mit Zagen die Entscheidung erwartend, ob ihr in ihrem Scheindasein wohl Sprachvermögen gegönnt sei. Da sie nicht antwortet, vertauscht er die Anrede mit einer lateinischen. Da klingt es von lächelnden Lippen: »Wenn Sie mit mir sprechen wollen, müssen Sie's auf Deutsch tun.«

Welche Beschämung für uns, die Leser! So hat der Dichter also auch unser gespottet und uns wie durch den Widerschein der Sonnenglut Pompejis in einen kleinen Wahn gelockt, damit wir den Armen, auf den die wirkliche Mittagssonne brennt, milder beurteilen müssen. Wir aber wissen jetzt, von kurzer Verwirrung geheilt, daß die Gradiva ein leibhaftiges deutsches Mädchen ist, was wir gerade als das Unwahrscheinlichste von uns weisen wollten. In ruhiger Überlegenheit dürfen wir nun zuwarten, bis wir erfahren, welche Beziehung zwischen dem Mädchen und ihrem Bild in Stein besteht, und wie unser junger Archäologe zu den Phantasien gelangt ist, die auf ihre reale Persönlichkeit hinweisen.

Nicht so rasch wie wir wird unser Held aus seinem Wahn gerissen, denn »wenn der Glaube selig machte«, sagt der Dichter, »nahm er überall eine erhebliche Summe von Unbegreiflichkeiten in den Kauf«, (G. p. 140) und überdies hat dieser Wahn wahrscheinlich Wurzeln in seinem Innern, von denen wir nichts wissen, und die bei uns nicht bestehen. Es bedarf wohl bei ihm einer eingreifenden Behandlung, um ihn zur Wirklichkeit zurückzuführen. Gegenwärtig kann er nicht anders, als den Wahn der eben gemachten wunderbaren Erfahrung anpassen. Die Gradiva, die bei der Verschüttung Pompejis mit untergegangen, kann nichts anderes sein als ein Mittagsgespenst, das für die kurze Geisterstunde ins Leben zurückkehrt. Aber warum entfährt ihm nach jener in deutscher Sprache gegebenen Antwort der Ausruf: »Ich wußte es, so klänge deine Stimme«? Nicht wir allein, auch das Mädchen selbst muß so fragen, und Hanold muß zugeben, daß er die Stimme noch nie gehört, aber sie zu hören erwartet, damals im Traum, als er sie anrief, während sie sich auf den Stufen des Tempels zum Schlafen hinlegte. Er bittet sie, es wieder zu tun wie damals, aber da erhebt sie sich, richtet ihm einen befremdenden Blick entgegen und verschwindet nach wenigen Schritten zwischen den Säulen des Hofes. Ein schöner Schmetterling hatte sie kurz vorher einigemal umflattert; in seiner Deutung war es ein Bote des Hades gewesen, der die Abgeschiedene an ihre Rückkehr mahnen sollte, da die Mittagsgeisterstunde abgelaufen. Den Ruf: »Kehrst du morgen in der Mittagsstunde wieder hieher?« kann Hanold der Verschwindenden noch nachsenden. Uns aber, die wir uns jetzt mehr nüchterner Deutungen getrauen, will es scheinen, als ob die junge Dame in der Aufforderung, die Hanold an sie gerichtet, etwas Ungehöriges erblickte und ihn darum beleidigt verließ, da sie doch von seinem Traum nichts wissen konnte. Sollte ihr Feingefühl nicht die erotische Natur des Verlangens herausgespürt haben, das sich für Hanold durch die Beziehung auf seinen Traum motivierte?

Nach dem Verschwinden der Gradiva mustert unser Held sämtliche bei der Tafel anwesenden Gäste des Hotels Diomède und darauf ebenso die des Hotels Suisse und kann sich dann sagen, daß in keiner der beiden ihm allein bekannten Unterkunftsstätten Pompejis eine Person zu finden sei, die mit der Gradiva die entfernteste Ähnlichkeit besitze. Selbstverständlich hätte er die Erwartung als widersinnig abgewiesen, daß er die Gradiva wirklich in einer der beiden Wirtschaften antreffen könne. Der auf dem heißen Boden des Vesuvs gekelterte Wein hilft dann den Taumel verstärken, in dem er den Tag verbracht.

Vom nächsten Tage stand nur fest, daß Hanold wieder um die Mittagsstunde im Hause des Meleager sein müsse, und diese Zeit erwartend, dringt er auf einem nicht vorschriftsmäßigen Wege über die alte Stadtmauer in Pompeji ein. Ein mit weißen Glockenkelchen behängter Asphodelosschaft erscheint ihm als Blume der Unterwelt bedeutungsvoll genug, um ihn zu pflücken und mit sich zu tragen. Die gesamte Altertumswissenschaft aber dünkt ihm während seines Wartens das Zweckloseste und Gleichgültigste von der Welt, denn ein anderes Interesse hat sich seiner bemächtigt, das Problem: »von welcher Beschaffenheit die körperliche Erscheinung eines Wesens wie der Gradiva sei, das zugleich tot, und, wenn auch nur in der Mittagsgeisterstunde, lebendig war.« (G. p. 80.) Auch bangt er davor, die Gesuchte heute nicht anzutreffen, weil ihr vielleicht die Wiederkehr erst nach langen Zeiten verstattet sein könne, und hält ihre Erscheinung, als er ihrer wieder zwischen den Säulen gewahr wird, für ein Gaukelspiel seiner Phantasie, welches ihm den schmerzlichen Ausruf entlockt: »O, daß du noch wärest und lebtest!« Allein diesmal war er offenbar zu kritisch gewesen, denn die Erscheinung verfügt über eine Stimme, die ihn fragt, ob er ihr die weiße Blume bringen wolle, und zieht den wiederum Fassungslosen in ein langes Gespräch. Uns Lesern, welchen die Gradiva bereits als lebende Persönlichkeit interessant geworden ist, teilt der Dichter mit, daß das Unmutige und Zurückweisende, das sich tags zuvor in ihrem Blick geäußert, einem Ausdruck von suchender Neugier oder Wißbegierde gewichen war. Sie forscht ihn auch wirklich aus, verlangt die Aufklärung seiner Bemerkung vom vorigen Tag, wann er bei ihr gestanden, als sie sich zum Schlafen hingelegt, erfährt so vom Traum, in dem sie mit ihrer Vaterstadt untergegangen, dann vom Reliefbild und der Stellung des Fußes, die den Archäologen so angezogen. Nun läßt sie sich auch bereit finden, ihren Gang zu demonstrieren, wobei als einzige Abweichung vom Urbild der Gradiva der Ersatz der Sandalen durch sandfarbig helle Schuhe von feinem Leder festgestellt wird, den sie als Anpassung an die Gegenwart aufklärt. Offenbar geht sie auf seinen Wahn ein, dessen ganzen Umfang sie ihm entlockt, ohne je zu widersprechen. Ein einziges Mal scheint sie durch einen eigenen Affekt aus ihrer Rolle gerissen zu werden, als er, den Sinn auf ihr Reliefbild gerichtet, behauptet, daß er sie auf den ersten Blick erkannt habe. Da sie an dieser Stelle des Gespräches noch nichts von dem Relief weiß, muß ihr ein Mißverständnis der Worte Hanolds nahe liegen, aber alsbald hat sie sich wieder gefaßt, und nur uns will es scheinen, als ob manche ihrer Reden doppelsinnig klingen, außer ihrer Bedeutung im Zusammenhang des Wahnes auch etwas Wirkliches und Gegenwärtiges meinen, so z. B. wenn sie bedauert, daß ihm damals die Feststellung der Gradivagangart auf der Straße nicht gelungen sei. »Wie schade, du hättest vielleicht die weite Reise hieher nicht zu machen gebraucht.« (G. p. 89.) Sie erfährt auch, daß er ihr Reliefbild »Gradiva« benannt, und sagt ihm ihren wirklichen Namen Zoë. »Der Name steht dir schön an, aber er klingt mir als ein bitterer Hohn, denn Zoë heißt das Leben.« – »Man muß sich in das Unabänderliche fügen«, entgegnet sie, »und ich habe mich schon lange daran gewöhnt, tot zu sein.« Mit dem Versprechen, morgen um die Mittagsstunde wieder an demselben Orte zu sein, nimmt sie von ihm Abschied, nachdem sie sich noch die Asphodelosstaude von ihm erbeten.

»Solchen, die besser daran sind, gibt man im Frühling Rosen, doch für mich ist die Blume der Vergessenheit aus deiner Hand die richtige.« (G. p. 90.) Wehmut schickt sich wohl für eine so lang Verstorbene, die nun auf kurze Stunden ins Leben zurückgekehrt ist.

Wir fangen nun an zu verstehen und eine Hoffnung zu fassen. Wenn die junge Dame, in deren Gestalt die Gradiva wieder aufgelebt ist, Hanolds Wahn so voll aufnimmt, so tut sie es wahrscheinlich, um ihn von ihm zu befreien. Es gibt keinen anderen Weg dazu; durch Widerspruch versperrte man sich die Möglichkeit. Auch die ernsthafte Behandlung eines wirklichen solchen Krankheitszustandes könnte nicht anders, als sich zunächst auf den Boden des Wahngebäudes stellen und dieses dann möglichst vollständig erforschen. Wenn Zoë die richtige Person dafür ist, werden wir wohl erfahren, wie man einen Wahn wie den unseres Helden heilt. Wir wollten auch gern wissen, wie ein solcher Wahn entsteht. Es träfe sich sonderbar und wäre doch nicht ohne Beispiel und Gegenstück, wenn Behandlung und Erforschung des Wahnes zusammenfielen und die Aufklärung der Entstehungsgeschichte desselben sich gerade während seiner Zersetzung ergäbe. Es ahnt uns freilich, daß unser Krankheitsfall dann in eine »gewöhnliche« Liebesgeschichte auslaufen könnte, aber man darf die Liebe als Heilpotenz gegen den Wahn nicht verachten, und war unseres Helden Eingenommensein von seinem Gradivabild nicht auch eine volle Verliebtheit, allerdings noch aufs Vergangene und Leblose gerichtet?

Nach dem Verschwinden der Gradiva schallt es nur noch einmal aus der Entfernung wie ein lachender Ruf eines über die Trümmerstadt hinfliegenden Vogels. Der Zurückgebliebene nimmt etwas Weißes auf, das die Gradiva zurückgelassen, kein Papyrusblatt, sondern ein Skizzenbuch mit Bleistiftzeichnungen verschiedener Motive aus Pompeji. Wir würden sagen, es sei ein Unterpfand ihrer Wiederkehr, daß sie das kleine Buch an dieser Stelle vergessen, denn wir behaupten, man vergißt nichts ohne geheimen Grund oder verborgenes Motiv.

Der Rest des Tages bringt unserem Hanold allerlei merkwürdige Entdeckungen und Feststellungen, die er zu einem Ganzen zusammenzufügen verabsäumt. In der Mauer des Portikus, wo die Gradiva verschwunden, nimmt er heute einen schmalen Spalt gewahr, der doch breit genug ist, um eine Person von ungewöhnlicher Schlankheit durchzulassen. Er erkennt, die Zoë-Gradiva brauche hier nicht in den Boden zu versinken, was auch so vernunftwidrig sei, daß er sich dieses nun abgelegten Glaubens schämt, sondern sie benütze diesen Weg, um sich in ihre

Gruft zu begeben. Ein leichter Schatten scheint ihm am Ende der Gräberstraße vor der sogen. Villa des Diomedes zu zergehen. Im Taumel wie am Vortage und mit denselben Problemen beschäftigt, treibt er sich nun in der Umgebung Pompejis herum. Von welcher leiblichen Beschaffenheit wohl die Zoë-Gradiva sein möge, und ob man etwas verspüren würde, wenn man ihre Hand berührte. Ein eigentümlicher Drang trieb ihn zum Vorsatze, dieses Experiment zu unternehmen, und doch hielt ihn eine ebenso große Scheu auch in der Vorstellung davon zurück. An einem heißbesonnten Abhange traf er einen älteren Herrn, der nach seiner Ausrüstung ein Zoologe oder Botaniker sein mußte und mit einem Fange beschäftigt schien. Der wandte sich nach ihm um und sagte dann: »Interessieren Sie sich auch für die Faraglionensis? Das hätte ich kaum vermutet, aber mir ist es durchaus wahrscheinlich, daß sie sich nicht nur auf den Faraglionen bei Capri aufhält, sondern sich mit Ausdauer auch am Festland finden lassen muß. Das vom Kollegen Eimer angegebene Mittel ist wirklich gut; ich habe es schon mehrfach mit bestem Erfolge angewendet. Bitte, halten Sie sich ganz ruhig –.« (G. p. 96.) Der Sprecher brach dann ab und hielt eine aus einem langen Grashalm hergestellte Schlinge vor eine Felsritze, aus der das bläulich schillernde Köpfchen einer Eidechse hervorsah. Hanold verließ den Lacertenjäger mit der kritischen Idee, es sei kaum glaublich, was für närrisch merkwürdige Vorhaben Leute zu der weiten Fahrt nach Pompeji veranlassen konnten, in welche Kritik er sich und seine Absicht, in der Asche Pompejis nach den Fußabdrücken der Gradiva zu forschen, natürlich nicht einschloß. Das Gesicht des Herrn kam ihm übrigens bekannt vor, als hätte er es flüchtig in einem der beiden Gasthöfe bemerkt, auch war dessen Anrede wie an einen Bekannten gerichtet gewesen. Auf seiner weiteren Wanderung brachte ihn ein Seitenweg zu einem bisher von ihm nicht entdeckten Haus, welches sich als ein drittes Wirtshaus, der »Albergo del Sole« herausstellte. Der unbeschäftigte Wirt benützte die Gelegenheit, sein Haus und die darin enthaltenen ausgegrabenen Schätze bestens zu empfehlen. Er behauptete, daß er auch zugegen gewesen sei, als man in der Gegend des Forums das junge Liebespaar aufgefunden, das sich bei der Erkenntnis des unabwendbaren Unterganges fest mit den Armen umschlungen und so den Tod erwartet habe. Davon hatte Hanold schon früher gehört und darüber als über eine Fabelerfindung irgend eines phantasiereichen Erzählers die Achsel gezuckt, aber heute erweckten die Reden des Wirtes bei ihm eine Gläubigkeit, die sich auch weiter erstreckte, als dieser eine mit grüner Patina überzogene Metallspange herbeiholte, die in seiner Gegenwart neben den Überresten des Mädchens aus der Asche gesammelt worden sei. Er erwarb diese Spange ohne weitere kritische Bedenken, und als er beim Verlassen des Albergo an einem offenstehenden Fenster einen mit weißen Blüten besetzten Asphodelosschaft herabnicken sah, durchdrang ihn der Anblick der Gräberblume wie eine Beglaubigung für die Echtheit seines neuen Besitztums.

Mit dieser Spange hatte aber ein neuer Wahn von ihm Besitz ergriffen oder vielmehr der alte ein Stückchen Fortsetzung getrieben, anscheinend kein gutes Vorzeichen für die eingeleitete Therapie. Unweit des Forums hatte man ein junges Liebespaar in solcher Umschlingung ausgegraben, und er hatte im Traume die Gradiva in eben dieser Gegend beim Apollotempel sich zum Schlafe niederlegen gesehen. Wäre es nicht möglich, daß sie in Wirklichkeit vom Forum noch weiter gegangen sei, um mit jemand zusammenzutreffen, mit dem sie dann gemeinsam gestorben? Ein quälendes Gefühl, das wir vielleicht der Eifersucht gleichstellen können, entsprang aus dieser Vermutung. Er beschwichtigte es durch den Hinweis auf die Unsicherheit der Kombination und brachte sich wieder so weit zurecht, daß er die Abendmahlzeit im Hotel Diomède einnehmen konnte. Zwei neueingetroffene Gäste, ein Er und eine Sie, die er nach einer gewissen Ähnlichkeit für Geschwister halten mußte, – trotz ihrer verschiedenen Haarfärbung, – zogen dort seine Aufmerksamkeit auf sich. Die Beiden waren die ersten ihm auf seiner Reise Begegnenden, von denen er einen sympathischen Eindruck empfing. Eine rote Sorrentiner Rose, die das junge Mädchen trug, weckte irgend eine Erinnerung in ihm, er konnte sich nicht besinnen, welche. Endlich ging er zu Bett und träumte; es war merkwürdig unsinniges Zeug, aber offenbar aus den Erlebnissen des Tages zusammengebraut. »Irgendwo in der Sonne saß die Gradiva, machte aus einem Grashalm eine Schlinge, um eine Eidechse drin zu fangen und sagte dazu: ›Bitte, halte dich ganz ruhig – die Kollegin hat recht, das Mittel ist wirklich gut und sie hat es mit bestem Erfolge angewendet.‹« Gegen diesen Traum wehrte er sich noch im Schlafe mit der Kritik, das sei ja vollständige Verrücktheit, und es gelang ihm, den Traum loszuwerden mit Hilfe eines unsichtbaren Vogels, der einen kurzen lachenden Ruf ausstieß und die Eidechse im Schnabel forttrug.

Trotz all dieses Spuks erwachte er eher geklärt und gefestigt. Ein Rosenstrauch, der Blumen von jener Art trug, wie er sie gestern an der Brust der jungen Dame bemerkt hatte, brachte ihm ins Gedächtnis zurück, daß in der Nacht jemand gesagt hatte, im Frühling gäbe man Rosen. Er pflückte unwillkürlich einige der Rosen ab, und an diese mußte sich etwas knüpfen, was eine lösende Wirkung in seinem Kopf ausübte. Seiner Menschenscheu erledigt, begab er sich auf dem gewöhnlichen Wege nach Pompeji, mit den Rosen, der Metallspange und dem Skizzenbuch beschwert und mit verschiedenen Problemen, welche die Gradiva betrafen, beschäftigt. Der alte Wahn war rissig geworden, er zweifelte bereits, ob sie sich nur in der Mittagsstunde, nicht auch zu anderen Zeiten in Pompeji aufhalten dürfe. Der Akzent hatte sich dafür auf das zuletzt angefügte Stück verschoben, und die an diesem hängende Eifersucht quälte ihn in allerlei Verkleidungen. Beinahe hätte er gewünscht, daß die Erscheinung nur seinen Augen sichtbar bleibe und sich der Wahrnehmung anderer entziehe; so dürfte er sie doch als sein ausschließliches

Eigentum betrachten. Während seiner Streifungen im Erwarten der Mittagsstunde hatte er eine überraschende Begegnung. In der Casa del fauno traf er auf zwei Gestalten, die sich in einem Winkel unentdeckbar glauben mochten, denn sie hielten sich mit den Armen umschlungen und ihre Lippen zusammengeschlossen. Mit Verwunderung erkannte er in ihnen das sympathische Paar von gestern abend. Aber für zwei Geschwister bedünkten ihn ihr gegenwärtiges Verhalten, die Umarmung und der Kuß von zu langer Andauer; also war es doch ein Liebes- und vermutlich junges Hochzeitspaar, auch ein August und eine Grete. Merkwürdigerweise erregte dieser Anblick jetzt nichts anderes als Wohlgefallen in ihm, und scheu, als hätte er eine geheime Andachtsübung gestört, zog er sich ungesehen zurück. Ein Respekt, der ihm lange gefehlt hatte, war in ihm wiederhergestellt.

Vor dem Hause des Meleager angekommen, überfiel ihn die Angst, die Gradiva in Gesellschaft eines Anderen anzutreffen, noch einmal so heftig, daß er für ihre Erscheinung keine andere Begrüßung fand, als die Frage: Bist du allein? Mit Schwierigkeit läßt er sich von ihr zum Bewußtsein bringen, daß er die Rosen für sie gepflückt, beichtet ihr den letzten Wahn, daß sie das Mädchen gewesen, das man am Forum in Liebesumarmung gefunden, und dem die grüne Spange gehört hatte. Nicht ohne Spott fragt sie, ob er das Stück etwa in der Sonne gefunden. Diese - hier Sole genannt - bringe allerlei derart zu stande. Zur Heilung des Schwindels im Kopfe, den er zugesteht, schlägt sie ihm vor, ihre kleine Mahlzeit mit ihr zu teilen, und bietet ihm die eine Hälfte eines in Seidenpapier eingewickelten Weißbrotes an, dessen andere sie selbst mit sichtlichem Appetit verzehrt. Dabei blitzen ihre tadellosen Zähne zwischen den Lippen auf und verursachen beim Durchbeißen der Rinde einen leicht krachenden Ton. Auf ihre Rede: »Mir ist's, als hätten wir schon vor zweitausend Jahren einmal so zusammen unser Brot gegessen. Kannst du dich nicht darauf besinnen?« (G. p. 118) wußte er keine Antwort, aber die Stärkung seines Kopfes durch das Nährmittel und all die Zeichen von Gegenwärtigkeit, die sie gab, verfehlten ihre Wirkung auf ihn nicht. Die Vernunft erhob sich in ihm und zog den ganzen Wahn, daß die Gradiva nur ein Mittagsgespenst sei, in Zweifel; dagegen ließ sich freilich einwenden, daß sie soeben selbst gesagt, sie habe schon vor zweitausend Jahren die Mahlzeit mit ihm geteilt. In solchem Konflikt bot sich ein Experiment als Mittel der Entscheidung, das er mit Schlauheit und wiedergefundenem Mute ausführte. Ihre linke Hand lag mit den schmalen Fingern ruhig auf ihren Knien, und eine der Stubenfliegen, über deren Frechheit und Nutzlosigkeit er sich früher so entrüstet hatte, ließ sich auf dieser Hand nieder. Plötzlich fuhr Hanolds Hand in die Höh' und klatschte mit einem keineswegs gelinden Schlag auf die Fliege und die Hand der Gradiva herunter.

Zweierlei Erfolg trug ihm dieser kühne Versuch ein, zunächst die freudige Überzeugung, daß er eine unzweifelhaft wirkliche, lebendige und warme Menschenhand berührt, dann aber einen Verweis, vor dem er erschrocken von seinem Sitz auf der Stufe aufflog. Denn von den Lippen der Gradiva tönte es, nachdem sie sich von ihrer Verblüffung erholt hatte: »Du bist doch offenbar verrückt, Norbert Hanold.«

Der Ruf beim eigenen Namen ist bekanntlich das beste Mittel, einen Schläfer oder Nachtwandler aufzuwecken. Welche Folgen die Nennung seines Namens, von dem er niemand in Pompeji Mitteilung gemacht, durch die Gradiva für Norbert Hanold mit sich gebracht hatte, ließ sich leider nicht beobachten. Denn in diesem kritischen Augenblick tauchte das sympathische Liebespaar aus der Casa di fauno auf, und die junge Dame rief mit einem Ton fröhlicher Überraschung: »Zoë! du auch hier? Und auch auf der Hochzeitsreise? Davon hast du mir ja kein Wort geschrieben!« Vor diesem neuen Beweis der Lebenswirklichkeit der Gradiva ergriff Hanold die Flucht.

Die Zoë-Gradiva war durch den unvorhergesehenen Besuch, der sie in einer, wie es scheint, wichtigen Arbeit störte, auch nicht aufs angenehmste überrascht. Aber bald gefaßt, beantwortet sie die Frage mit einer geläufigen Antwortsrede, in der sie der Freundin, aber mehr noch uns, Auskünfte über die Situation gibt, und mittels welcher sie sich des jungen Paares zu entledigen weiß. Sie gratuliert, aber sie ist nicht auf der Hochzeitsreise. »Der junge Herr, der eben fortging, laboriert auch an einem merkwürdigen Hirngespinst, mir scheint, er glaubt, daß ihm eine Fliege im Kopfe summt; nun, irgend eine Kerbtierart hat wohl Jeder drin. Pflichtmäßig verstehe ich mich etwas auf Entomologie und kann deshalb bei solchen Zuständen ein bißchen von Nutzen sein. Mein Vater und ich wohnen im Sole, er bekam auch einen plötzlichen Anfall und dazu den guten Einfall, mich mit hieher zu nehmen, wenn ich mich auf meine eigene Hand in Pompeji unterhalten und an ihn keinerlei Anforderungen stellen wollte. Ich sagte mir, irgend etwas Interessantes würde ich wohl schon allein hier ausgraben. Freilich, auf den Fund, den ich gemacht, – ich meine das Glück, dich zu treffen, Gisa, hatte ich mit keinem Gedanken gerechnet.« (G. p. 124.) Aber nun muß sie eilig fort, ihrem Vater am Sonnentisch Gesellschaft leisten. Und so entfernt sie sich, nachdem sie sich uns als die Tochter des Zoologen und Eidechsenfängers vorgestellt und in allerlei doppelsinnigen Reden sich zur Absicht der Therapie und zu anderen geheimen Absichten bekannt hat. Die Richtung, die sie einschlug, war aber nicht die des Gasthofes zur Sonne, in dem ihr Vater sie erwartete, sondern auch ihr wollte scheinen, als ob in der Umgegend der Villa des Diomedes eine Schattengestalt ihren Tumulus aufsuche und unter einem der Gräberdenkmäler verschwinde, und darum richtete sie ihre Schritte mit dem jedesmal beinahe senkrecht aufgestellten Fuß nach der Gräberstraße. Dorthin hatte sich in seiner Beschämung und Verwirrung Hanold geflüchtet und wanderte im Portikus des Gartenraumes unablässig auf und ab, beschäftigt, den Rest seines Problems durch Denkanstrengung zu erledigen. Eines war ihm unanfechtbar klar geworden, daß er völlig ohne Sinn und Verstand gewesen zu glauben, daß er mit einer mehr oder weniger leiblich wieder lebendig gewordenen jungen Pompejanerin verkehrt habe, und diese deutliche Einsicht seiner Verrücktheit bildete unstreitig einen wesentlichen Fortschritt auf dem Rückweg zur gesunden Vernunft. Aber anderseits war diese Lebende, mit der auch Andere wie mit einer ihnen gleichartigen Leibhaftigkeit verkehrten, die Gradiva, und sie wußte seinen Namen, und dieses Rätsel zu lösen, war seine kaum erwachte Vernunft nicht stark genug. Auch war er im Gefühl kaum ruhig genug, um sich solcher schwierigen Aufgabe gewachsen zu zeigen, denn am liebsten wäre er vor zweitausend Jahren in der Villa des Diomedes mitverschüttet worden, um nur sicher zu sein, der Zoë-Gradiva nicht wieder zu begegnen.

Eine heftige Sehnsucht, sie wiederzusehen, stritt indessen gegen den Rest von Neigung zur Flucht, der sich in ihm erhalten hatte.

Um eine der vier Ecken des Pfeilerganges biegend, prallte er plötzlich zurück. Auf einem abgebrochenen Mauerstücke saß da eines der Mädchen, die hier in der Villa des Diomedes ihren Tod gefunden hatten. Aber das war ein bald abgewiesener letzter Versuch, in das Reich des Wahnsinns zu flüchten; nein, die Gradiva war es, die offenbar gekommen war, ihm das letzte Stück ihrer Behandlung zu schenken. Sie deutete seine erste instinktive Bewegung ganz richtig als einen Versuch, den Raum zu verlassen, und bewies ihm, daß er nicht entrinnen könne, denn draußen hatte ein fürchterlicher Wassersturz zu rauschen begonnen. Die Unbarmherzige begann das Examen mit der Frage, was er mit der Fliege auf ihrer Hand gewollt. Er fand nicht den Mut, sich eines bestimmten Pronomens zu bedienen, wohl aber den wertvolleren, die entscheidende Frage zu stellen:

»Ich war - wie jemand sagte - etwas verwirrt im Kopf und bitte um Verzeihung, daß ich die Hand derartig - wie ich so sinnlos sein konnte, ist mir nicht begreiflich - aber ich bin auch nicht im stande, zu begreifen, wie ihre Besitzerin mir meine - meine Unvernunft mit meinem Namen vorhalten konnte.« (G. p. 134.)

»So weit ist dein Begreifen also noch nicht vorgeschritten, Norbert Hanold. Wunder nehmen kann's mich allerdings nicht, da du mich lange daran gewöhnt hast. Um die Erfahrung wieder zu machen, hätte ich nicht nach Pompeji zu kommen gebraucht, und du hättest sie mir um gut hundert Meilen näher bestätigen können.«

»Um hundert Meilen näher; deiner Wohnung schräg gegenüber, in dem Eckhaus; an meinem Fenster steht ein Käfig mit einem Kanarienvogel,« eröffnet sie jetzt dem noch immer Verständnislosen.

Dies letzte Wort berührt den Hörer wie eine Erinnerung aus einer weiten Ferne. Das ist doch derselbe Vogel, dessen Gesang ihm den Entschluß zur Reise nach Italien eingegeben.

»In dem Hause wohnt mein Vater, der Professor der Zoologie Richard Bertgang.«

Als seine Nachbarin kannte sie also seine Person und seinen Namen. Uns droht es wie eine Enttäuschung durch eine seichte Lösung, die unserer Erwartungen nicht würdig ist.

Norbert Hanold zeigt noch keine wiedergewonnene Selbständigkeit des Denkens, wenn er wiederholt: »Dann sind Sie – sind Sie Fräulein Zoë Bertgang? Die sah aber doch ganz anders aus ....«

Die Antwort des Fräuleins Bertgang zeigt dann, daß doch noch andere Beziehungen als die der Nachbarschaft zwischen den beiden bestanden hatten. Sie weiß für das trauliche »du« einzutreten, das er dem Mittagsgespenst natürlich geboten, vor der Lebenden wieder zurückgezogen hatte, auf das sie aber alte Rechte geltend macht. »Wenn du die Anrede passender zwischen uns findest, kann ich sie ja auch anwenden, mir lag nur die andere natürlicher auf der Zunge. Ich weiß nicht mehr, ob ich früher, als wir täglich freundschaftlich miteinander herumliefen, gelegentlich uns zur Abwechslung auch knufften und pufften, anders ausgesehen habe. Aber wenn Sie in den letzten Jahren einmal mit einem Blick auf mich Acht gegeben hätten, wäre Ihren Augen vielleicht aufgegangen, daß ich schon seit längerer Zeit so aussehe.«

Eine Kinderfreundschaft hatte also zwischen den beiden bestanden, vielleicht eine Kinderliebe, aus der das »Du« seine Berechtigung ableitete. Ist diese Lösung nicht vielleicht ebenso seicht wie die erst vermutete? Es trägt aber doch wesentlich zur Vertiefung bei, daß uns einfällt, dies Kinderverhältnis erkläre in unvermuteter Weise so manche Einzelheit von dem, was während ihres jetzigen Verkehrs zwischen den Beiden vorgefallen. Jener Schlag auf die Hand der Zoë-Gradiva, den sich Norbert Hanold so vortrefflich mit dem Bedürfnis motiviert, durch eine experimentelle Entscheidung die Frage nach der Leiblichkeit der Erscheinung zu lösen, sieht er nicht anderseits einem Wiederaufleben des Impulses zum »Knuffen und Puffen« merkwürdig ähnlich, dessen Herrschaft in der Kindheit uns die Worte Zoës bezeugt haben? Und wenn die Gradiva an den Archäologen die Frage gerichtet, ob ihm nicht vorkomme, daß sie schon einmal vor zweitausend Jahren so die Mahlzeit miteinander geteilt hätten, wird diese unverständliche Frage nicht plötzlich sinnvoll, wenn wir anstatt jener geschichtlichen Vergangenheit die persönliche einsetzen, die Kinderzeit wiederum, deren Erinnerungen bei dem Mädchen lebhaft erhalten, bei dem jungen Manne aber vergessen zu sein scheinen? Dämmert uns nicht plötzlich die Einsicht, daß die Phantasien des jungen Archäologen über seine Gradiva ein Nachklang dieser vergessenen Kindheitserinnerungen sein könnten? Dann wären sie also keine willkürlichen Produktionen seiner Phantasie, sondern bestimmt, ohne daß er darum wüßte, durch das von ihm vergessene, aber noch wirksam in ihm vorhandene Material von Kindheitseindrücken. Wir müßten diese Abkunft der Phantasien im einzelnen nachweisen können, wenn auch nur durch Vermutungen. Wenn z. B. die Gradiva durchaus griechischer Abkunft sein muß, die Tochter eines angesehenen Mannes, vielleicht eines Priesters der Ceres, so stimmte das nicht übel zu einer Nachwirkung der Kenntnis ihres griechischen Namens Zoë und ihrer Zugehörigkeit zur Familie eines Professors der Zoologie. Sind aber die Phantasien Hanolds umgewandelte Erinnerungen, so dürfen wir erwarten, in den Mitteilungen der Zoë Bertgang den Hinweis auf die Quellen dieser Phantasien zu finden. Horchen wir auf; sie erzählte uns von einer intimen Freundschaft der Kinderjahre, wir werden nun erfahren, welche weitere Entwicklung diese Kinderbeziehung bei den Beiden genommen hat.

»Damals, so bis um die Zeit, in der man uns, ich weiß nicht weshalb, Backfische tituliert, hatte ich mir eigentlich eine merkwürdige Anhänglichkeit an Sie angewöhnt und glaubte, ich könnte nie einen mir angenehmeren Freund auf der Welt finden. Mutter und Schwester oder Bruder hatte ich ja nicht, meinem Vater war eine Blindschleiche in Spiritus bedeutend interessanter als ich, und etwas muß man, wozu ich auch ein Mädchen rechne, wohl haben, womit man seine Gedanken und was sonst mit ihnen zusammenhängt, beschäftigen kann. Das waren also Sie damals; doch als die Altertumswissenschaft über Sie gekommen war, machte ich die Entdeckung, daß aus dir – entschuldigen Sie, aber Ihre schickliche Neuerung klingt mir doch zu abgeschmackt und paßt auch nicht zu dem, was ich ausdrücken will – ich wollte sagen, da stellte sich heraus, daß aus dir ein unausstehlicher Mensch geworden war, der, wenigstens für mich, keine Augen mehr im Kopf, keine Zunge mehr im Mund und keine Erinnerung mehr da hatte, wo sie mir an unsere Kinderfreundschaft sitzen geblieben war. Darum sah ich wohl anders aus als früher, denn wenn ich ab und zu in einer Gesellschaft mit dir zusammenkam, noch im letzten Winter einmal, sahst du mich nicht, und noch weniger bekam ich deine Stimme zu hören, worin übrigens keine Auszeichnung für mich lag, weil du's mit allen Andern ebenso machtest. Ich war Luft für dich, und du warst, mit deinem blonden Haarschopf, an dem ich dich früher oft gezaust, so langweilig, vertrocknet und mundfaul wie ein ausgestopfter Kakadu und dabei so großartig wie ein – Archäopteryx heißt das ausgegrabene vorsintflutliche Vogelungetüm ja wohl. Nur daß dein Kopf eine ebenfalls so großartige Phantasie beherbergte, hier in Pompeji mich auch für etwas Ausgegrabenes und wieder lebendig Gewordenes anzusehen, – das hatte ich nicht bei dir vermutet, und als du auf einmal ganz unerwartet vor mir standest, kostete es mich zuerst ziemliche Mühe, dahinter zu kommen, was für ein unglaubliches Hirngespinst deine Einbildung sich zurechtgearbeitet hatte. Dann machte mir's Spaß und gefiel mir auch trotz seiner Tollhäusigkeit nicht so übel. Denn, wie gesagt, das hatte ich bei dir nicht vermutet.«

So sagt sie uns also deutlich genug, was aus der Kinderfreundschaft mit den Jahren bei ihnen Beiden geworden war. Bei ihr steigerte sich dieselbe zu einer herzlichen Verliebtheit, denn etwas muß man ja haben, woran man als Mädchen sein Herz hängt. Fräulein Zoë, die Verkörperung der Klugheit und Klarheit, macht uns auch ihr Seelenleben ganz durchsichtig. Wenn es schon allgemeine Regel für das normal geartete Mädchen ist, daß sie ihre Neigung zunächst dem Vater zuwende, so war sie ganz besonders dazu bereit, die keine andere Person als den Vater in ihrer Familie fand. Dieser Vater aber hatte für sie nichts übrig, die Objekte seiner Wissenschaft hatten all sein Interesse mit Beschlag belegt. So mußte sie nach einer anderen Person Umschau halten und hing sich mit besonderer Innigkeit an ihren Jugendgespielen. Als auch dieser keine Augen mehr für sie hatte, störte es ihre Liebe nicht, steigerte sie vielmehr, denn er war ihrem Vater gleich geworden, wie dieser von der Wissenschaft absorbiert und durch sie vom Leben und von Zoë ferngehalten. So war es ihr gestattet, in der Untreue noch treu zu sein, im Geliebten den Vater wiederzufinden, mit dem gleichen Gefühl die Beiden zu umfassen oder, wie wir sagen können, die Beiden in ihrem Fühlen zu identifizieren. Woher nehmen wir die Berechtigung zu dieser kleinen psychologischen Analyse, die leicht als selbstherrlich erscheinen könnte? In einem einzigen, aber höchst charakteristischen Detail hat sie der Dichter uns gegeben. Wenn Zoë die für sie so betrübende Verwandlung ihres Jugendgespielen schildert, so beschimpft sie ihn durch einen Vergleich mit dem Archäopteryx, jenem Vogelungetüm, das der Archäologie der Zoologie angehört. So hat sie für die Identifizierung der beiden Personen einen einzigen konkreten Ausdruck gefunden; ihr Groll trifft den Geliebten wie den Vater mit demselben Worte. Der Archäopteryx ist sozusagen die Kompromiß- oder Mittelvorstellung, in welcher der Gedanke an die Torheit ihres Geliebten mit dem an die analoge ihres Vaters zusammenkommt.

Anders hatte es sich bei dem jungen Manne gewendet. Die Altertumswissenschaft kam über ihn und ließ ihm nur Interesse für Weiber aus Stein und Bronze übrig. Die Kinderfreundschaft ging unter, anstatt sich zu einer Leidenschaft zu verstärken, und die Erinnerungen an sie gerieten in so tiefe Vergessenheit, daß er seine Jugendgenossin nicht erkannte und nicht beachtete, wenn er sie in der Gesellschaft traf. Zwar, wenn wir das weitere überblicken, dürfen wir in Zweifel ziehen, ob »Vergessenheit« die richtige psychologische Bezeichnung für das Schicksal dieser Erinnerungen bei unserem Archäologen ist. Es gibt eine Art von Vergessen, welche sich durch die Schwierigkeit auszeichnet, mit welcher die Erinnerung auch durch starke äußere Anrufungen erweckt wird, als ob ein innerer Widerstand sich gegen deren Wiederbelebung sträubte. Solches Vergessen hat den Namen »Verdrängung« in der Psychopathologie erhalten; der Fall, den unser Dichter uns vorgeführt, scheint ein solches Beispiel von Verdrängung zu sein. Nun wissen wir ganz allgemein nicht, ob das Vergessen eines Eindruckes mit dem Untergang von dessen Erinnerungsspur im Seelenleben verbunden ist; von der »Verdrängung« können wir aber mit Bestimmtheit behaupten, daß sie nicht mit dem Untergang, dem Auslöschen der Erinnerung zusammenfällt. Das Verdrängte kann zwar in der Regel sich nicht ohne weiteres als Erinnerung durchsetzen, aber es bleibt leistungs- und wirkungsfähig, es läßt eines Tages unter dem Einfluß einer äußeren Einwirkung psychische Abfolgen entstehen, die man als Verwandlungsprodukte und Abkömmlinge der vergessenen Erinnerung auffassen kann, und die unverständlich bleiben, wenn man sie nicht so auffaßt. In den Phantasien Norbert Hanolds über die Gradiva glaubten wir bereits die Abkömmlinge seiner verdrängten Erinnerungen an seine Kinderfreundschaft mit der Zoë Bertgang zu erkennen. Mit besonderer Gesetzmäßigkeit darf man eine derartige Wiederkehr des Verdrängten erwarten, wenn an den verdrängten Eindrücken das erotische Fühlen eines Menschen haftet, wenn sein Liebesleben von der Verdrängung betroffen worden ist. Dann behält der alte lateinische Spruch recht, der vielleicht ursprünglich auf Austreibung durch äußere Einflüsse, nicht auf innere Konflikte gemünzt ist: Naturam furca expellas, semper redibit. Aber er sagt nicht alles, kündigt nur die Tatsache der Wiederkehr des Stückes verdrängter Natur an, und beschreibt nicht die höchst merkwürdige Art dieser Wiederkehr, die sich wie durch einen tückischen Verrat vollzieht. Gerade dasjenige, was zum Mittel der Verdrängung gewählt worden ist – wie die »furca« des Spruches –, wird der Träger des Wiederkehrenden; in und hinter dem Verdrängenden macht sich endlich siegreich das Verdrängte geltend. Eine bekannte Radierung von Félicien Rops illustriert diese wenig beachtete und der Würdigung so sehr bedürftige Tatsache eindrucksvoller, als viele Erläuterungen es vermöchten, und zwar an dem vorbildlichen Falle der Verdrängung im Leben der Heiligen und Büßer. Ein asketischer Mönch hat sich – gewiß vor den Versuchungen der Welt – zum Bild des gekreuzigten Erlösers geflüchtet. Da sinkt dieses Kreuz schattenhaft nieder und strahlend erhebt sich an seiner Stelle, zu seinem Ersatze, das Bild eines üppigen nackten Weibes in der gleichen Situation der Kreuzigung. Andere Maler von geringerem psychologischen Scharfblick haben in solchen Darstellungen der Versuchung die Sünde frech und triumphierend an irgend eine Stelle neben dem Erlöser am Kreuze gewiesen. Rops allein hat sie den Platz des Erlösers selbst am Kreuze einnehmen lassen; er scheint gewußt zu haben, daß das Verdrängte bei seiner Wiederkehr aus dem Verdrängenden selbst hervortritt.

Es ist des Verweilens wert, sich in Krankheitsfällen zu überzeugen, wie feinfühlig im Zustande der Verdrängung das Seelenleben eines Menschen für die Annäherung des Verdrängten wird, und wie leise und geringfügige Ähnlichkeiten genügen, damit dasselbe hinter dem Verdrängenden und durch dieses zur Wirkung gelange. Ich hatte einmal Anlaß, mich ärztlich um einen jungen Mann, fast noch Knaben, zu kümmern, der nach der ersten unerwünschten Kenntnisnahme von den sexuellen Vorgängen die Flucht vor allen in ihm aufsteigenden Gelüsten ergriffen hatte und sich verschiedener Mittel der Verdrängung dazu bediente, seinen Lerneifer steigerte, die kindliche Anhänglichkeit an die Mutter übertrieb und im ganzen ein kindisches Wesen annahm. Ich will hier nicht ausführen, wie gerade im Verhältnis zur Mutter die verdrängte Sexualität wieder durchdrang, sondern den selteneren und fremdartigeren Fall beschreiben, wie ein anderes seiner Bollwerke bei einem kaum als zureichend zu erkennenden Anlasse zusammenbrach. Als Ablenkung vom Sexuellen genießt die Mathematik den größten Ruf; schon J. J. Rousseau hatte sich von einer Dame, die mit ihm unzufrieden war, raten lassen müssen: Lascia le donne e studia la matematica. So warf sich auch unser Flüchtling mit besonderem Eifer auf die in der Schule gelehrte Mathematik und Geometrie, bis seine Fassungskraft eines Tages plötzlich vor einigen scheinbar harmlosen Aufgaben erlahmte. Von zweien dieser Aufgaben ließ sich noch der Wortlaut feststellen: Zwei Körper stoßen aufeinander, der eine mit der Geschwindigkeit ... u. s. w. – Und: Einem Zylinder vom Durchmesser der Grundfläche m ist ein Kegel einzuschreiben u. s. w. Bei diesen für einen anderen gewiß nicht auffälligen Anspielungen an das sexuelle

Geschehen fand er sich auch von der Mathematik verraten und ergriff auch vor ihr die Flucht.

Wenn Norbert Hanold eine aus dem Leben geholte Persönlichkeit wäre, die so die Liebe und die Erinnerung an seine Kinderfreundschaft durch die Archäologie vertrieben hätte, so wäre es nur gesetzmäßig und korrekt, daß gerade ein antikes Relief die vergessene Erinnerung an die mit kindlichen Gefühlen Geliebte in ihm erweckt; es wäre sein wohlverdientes Schicksal, daß er sich in das Steinbild der Gradiva verliebt, hinter welchem vermöge einer nicht aufgeklärten Ähnlichkeit die lebende und von ihm vernachlässigte Zoë zur Wirkung kommt.

Fräulein Zoë scheint selbst unsere Auffassung von dem Wahn des jungen Archäologen zu teilen, denn das Wohlgefallen, dem sie am Ende ihrer »rückhaltlosen, ausführlichen und lehrreichen Strafrede« Ausdruck gegeben, läßt sich kaum anders als durch die Bereitwilligkeit begründen, sein Interesse für die Gradiva von allem Anfang an auf ihre Person zu beziehen. Dieses war es eben, was sie ihm nicht zugetraut hatte, und was sie trotz aller Wahnverkleidung doch als solches erkannte. An ihm aber hatte nun die psychische Behandlung von ihrer Seite ihre wohltätige Wirkung vollbracht; er fühlte sich frei, da nun der Wahn durch dasjenige ersetzt war, wovon er doch nur eine entstellte und ungenügende Abbildung sein konnte. Er zögerte jetzt auch nicht, sich zu erinnern und sie als seine gute, fröhliche, klugsinnige Kameradin zu erkennen, die sich im Grunde gar nicht verändert habe. Aber etwas anderes fand er höchst sonderbar –

»Daß jemand erst sterben muß, um lebendig zu werden«, meinte das Mädchen. »Aber für die Archäologen ist das wohl notwendig.« (G. p. 141.) Sie hatte ihm offenbar den Umweg noch nicht verziehen, den er von der Kinderfreundschaft bis zu dem neu sich knüpfenden Verhältnis über die Altertumswissenschaft eingeschlagen hatte.

»Nein, ich meine dein Name ... Weil Bertgang mit Gradiva gleichbedeutend ist und ›die im Schreiten Glänzende‹ bezeichnet.« (G. p. 142.)

Darauf waren nun auch wir nicht vorbereitet. Unser Held beginnt sich aus seiner Demütigung zu erheben und eine aktive Rolle zu spielen. Er ist offenbar von seinem

Wahn völlig geheilt, über ihn erhoben, und beweist dies, indem er die letzten Fäden des Wahngespinstes selbständig zerreißt. Genau so benehmen sich auch die Kranken, denen man den Zwang ihrer wahnhaften Gedanken durch Aufdeckung des dahintersteckenden Verdrängten gelockert hat. Haben sie begriffen, so bringen sie für die letzten und bedeutsamsten Rätsel ihres sonderbaren Zustandes selbst die Lösungen in plötzlich auftauchenden Einfällen. Wir hatten ja bereits vermutet, daß die griechische Abkunft der fabelhaften Gradiva eine dunkle Nachwirkung des griechischen Namens Zoë sei, aber an den Namen »Gradiva« selbst hatten wir uns nicht herangewagt, ihn hatten wir als freie Schöpfung der Phantasie Norbert Hanolds gelten lassen. Und siehe da, gerade dieser Name erweist sich nun als Abkomme, ja eigentlich als Übersetzung des verdrängten Familiennamens der angeblich vergessenen Kindergeliebten!

Die Herleitung und die Auflösung des Wahnes sind nun vollendet. Was noch beim Dichter folgt, darf wohl dem harmonischen Abschluß der Erzählung dienen. Es kann uns im Hinblick auf Zukünftiges nur wohltuend berühren, wenn die Rehabilitierung des Mannes, der früher eine so klägliche Rolle als Heilungsbedürftiger spielen mußte, weiterschreitet und es ihm nun gelingt, etwas von den Affekten, die er bisher erduldet, bei ihr zu erwecken. So trifft es sich, daß er sie eifersüchtig macht durch die Erwähnung der sympathischen jungen Dame, die vorhin ihr Beisammensein im Hause des Meleager gestört, und durch das Geständnis, daß diese die erste gewesen, die ihm vortrefflich gefallen hat. Wenn Zoë dann einen kühlen Abschied mit der Bemerkung nehmen will: jetzt sei ja alles wieder zur Vernunft gekommen, sie selbst nicht am wenigsten; er könne Gisa Hartleben, oder wie sie jetzt heiße, wieder aufsuchen, um ihr bei dem Zweck ihres Aufenthaltes in Pompeji wissenschaftlich behilflich zu sein; sie aber müsse jetzt in den Albergo del Sole, wo der Vater mit dem Mittagessen auf sie wartet; vielleicht sähen sie sich beide noch einmal in einer Gesellschaft in Deutschland oder auf dem Monde: so mag er wieder die lästige Fliege zum Vorwand nehmen, um sich zuerst ihrer Wange und dann ihrer Lippen zu bemächtigen und die Aggression, die nun einmal Pflicht des Mannes im Liebesspiel ist, ins Werk zu setzen. Ein einziges Mal noch scheint ein Schatten auf ihr Glück zu fallen, als Zoë mahnt, jetzt müsse sie aber wirklich zu ihrem Vater, der sonst im Sole verhungert. »Dein Vater – was wird der –?« (G. p. 147.) Aber das kluge Mädchen weiß die Sorge rasch zu beschwichtigen: »Wahrscheinlich wird er nichts, ich bin kein unentbehrliches Stück in seiner zoologischen Sammlung; wär' ich das, hätte sich mein Herz vielleicht nicht so unklug an dich gehängt.« Sollte der Vater aber ausnahmsweise anderer Meinung sein wollen als sie, so gäbe es ein sicheres Mittel. Hanold brauchte nur nach Capri hinüberzufahren, dort eine Lacerta faraglionensis zu fangen, wofür er die Technik an ihrem kleinen Finger einüben könne, das Tier dann hier freizulassen, vor den

Augen des Zoologen wieder einzufangen und ihm die Wahl zu lassen zwischen der Faraglionensis auf dem Festlande und der Tochter. Ein Vorschlag, in dem der Spott, wie man leicht merkt, mit Bitterkeit vermengt ist, eine Mahnung gleichsam an den Bräutigam, sich nicht allzu getreu an das Vorbild zu halten, nach dem ihn die Geliebte ausgewählt hat. Norbert Hanold beruhigt uns auch hierüber, indem er die große Umwandlung, die mit ihm vorgefallen ist, in allerlei scheinbar kleinen Anzeichen zum Ausdruck bringt. Er spricht den Vorsatz aus, die Hochzeitsreise mit seiner Zoë nach Italien und nach Pompeji zu machen, als hätte er sich niemals über die Hochzeitsreisenden August und Grete entrüstet. Es ist ihm ganz aus dem Gedächtnis geschwunden, was er gegen diese glücklichen Paare gefühlt, die sich so überflüssigerweise mehr als hundert Meilen von ihrer deutschen Heimat entfernt haben. Gewiß hat der Dichter recht, wenn er solche Gedächtnisschwächung als das wertvollste Zeichen einer Sinnesänderung aufführt. Zoë erwidert auf den kundgegebenen Reisezielwunsch ihres »gewissermaßen gleichfalls aus der Verschüttung wieder ausgegrabenen Kindheitsfreundes« (G. p. 150), sie fühle sich zu solcher geographischen Entscheidung doch noch nicht völlig lebendig genug.

Die schöne Wirklichkeit hat nun den Wahn besiegt, doch harrt des letzteren, ehe die Beiden Pompeji verlassen, noch eine Ehrung. An dem Herkulestor angekommen, wo am Anfang der Strada consolare alte Trittsteine die Straße überkreuzen, hält Norbert Hanold an und bittet das Mädchen voranzugehen. Sie versteht ihn, »und mit der Linken das Kleid ein wenig raffend, schreitet die Gradiva rediviva Zoë Bertgang von ihm mit traumhaft dreinblickenden Augen umfaßt, in ihrer ruhig-behenden Gangart durch den Sonnenglanz über die Trittsteine zur anderen Straßenseite hinüber«. Mit dem Triumph der Erotik kommt jetzt zur Anerkennung, was auch am Wahne schön und wertvoll war.

Mit dem letzten Gleichnis von dem »aus der Verschüttung ausgegrabenen Kindheitsfreunde« hat uns aber der Dichter den Schlüssel zur Symbolik in die Hand gegeben, dessen sich der Wahn des Helden bei der Verkleidung der verdrängten Erinnerung bediente. Es gibt wirklich keine bessere Analogie für die Verdrängung, die etwas Seelisches zugleich unzugänglich macht und konserviert, als die Verschüttung, wie sie Pompeji zum Schicksal geworden ist, und aus der die Stadt durch die Arbeit des Spatens wieder erstehen konnte. Darum mußte der junge Archäologe das Urbild des Reliefs, welches ihn an seine vergessene Jugendgeliebte mahnte, in der Phantasie nach Pompeji versetzen. Der Dichter aber hatte ein gutes Recht, bei der wertvollen Ähnlichkeit zu verweilen, die sein feiner Sinn zwischen einem Stück des seelischen Geschehens beim Einzelnen und einem vereinzelten historischen Vorgang in der Geschichte der Menschheit aufgespürt.

KAPITEL II

Es war doch eigentlich nur unsere Absicht, die zwei oder drei Träume, die sich in der Erzählung »Gradiva« eingestreut finden, mit Hilfe gewisser analytischer Methoden zu untersuchen; wie kam es denn, daß wir uns zur Zergliederung der ganzen Geschichte und zur Prüfung der seelischen Vorgänge bei den beiden Hauptpersonen fortreißen ließen? Nun, das war kein überflüssiges Stück Arbeit, sondern eine notwendige Vorarbeit. Auch wenn wir die wirklichen Träume einer realen Person verstehen wollen, müssen wir uns intensiv um den Charakter und die Schicksale dieser Person kümmern, nicht nur ihre Erlebnisse kurz vor dem Traume, sondern auch solche in entlegener Vergangenheit in Erfahrung bringen. Ich meine sogar, wir sind noch immer nicht frei, uns unserer eigentlichen Aufgabe zuzuwenden, müssen noch bei der Dichtung selbst verweilen und weitere Vorarbeiten erledigen.

Unsere Leser werden gewiß mit Befremden bemerkt haben, daß wir Norbert Hanold und Zoë Bertgang in allen ihren seelischen Äußerungen und Tätigkeiten bisher behandelt haben, als wären sie wirkliche Individuen und nicht Geschöpfe eines Dichters, als wäre der Sinn des Dichters ein absolut durchlässiges, nicht ein brechendes oder trübendes Medium. Und um so befremdender muß unser Vorgehen erscheinen, als der Dichter auf die Wirklichkeitsschilderung ausdrücklich verzichtet, indem er seine Erzählung ein »Phantasiestück« benennt. Wir finden aber alle seine Schilderungen der Wirklichkeit so getreulich nachgebildet, daß wir keinen Widerspruch äußern würden, wenn die »Gradiva« nicht ein Phantasiestück, sondern eine psychiatrische Studie hieße. Nur in zwei Punkten hat sich der Dichter der ihm zustehenden Freiheit bedient, um Voraussetzungen zu schaffen, die nicht im Boden der realen Gesetzmäßigkeit zu wurzeln scheinen. Das erstemal, indem er den jungen Archäologen ein unzweifelhaft antikes Reliefbildnis finden läßt, welches nicht nur in der Besonderheit der Fußstellung beim Schreiten, sondern in allen Details der Gesichtsbildung und Körperhaltung eine so viel später lebende Person nachahmt, so daß er die leibliche Erscheinung dieser Person für das lebend gewordene Steinbild halten kann. Das zweitemal, indem er ihn die Lebende gerade in Pompeji treffen läßt, wohin nur seine Phantasie die Verstorbene versetzte, während er sich eben durch die Reise nach Pompeji von der Lebenden, die er auf der Straße seines Wohnortes bemerkt hatte, entfernte. Allein diese zweite Verfügung des Dichters ist keine gewaltsame Abweichung von der Lebensmöglichkeit; sie nimmt eben nur den Zufall zur Hilfe, der unbestritten bei so vielen menschlichen Schicksalen mitspielt, und verleiht ihm überdies einen guten Sinn, da dieser Zufall das Verhängnis widerspiegelt, welches bestimmt hat, daß man gerade durch das Mittel der Flucht sich dem ausliefert, vor dem man flieht. Phantastischer und völlig der Willkür des Dichters entsprungen erscheint die erste Voraussetzung, welche alle weiteren Begebenheiten trägt, die so weitgehende Ähnlichkeit des Steinbildes mit dem lebenden Mädchen, wo die Nüchternheit die Übereinstimmung auf den einen Zug der Fußhaltung beim Schreiten einschränken möchte. Man wäre versucht, hier zur Anknüpfung an die Realität die eigene Phantasie spielen zu lassen. Der Name Bertgang könnte darauf deuten, daß sich die Frauen dieser Familie schon in alten Zeiten durch solche Eigentümlichkeit des schönen Ganges ausgezeichnet haben, und durch Geschlechtsabfolge hingen die germanischen Bertgang mit jenen Römern zusammen, von deren Stamm eine Frau den antiken Künstler veranlaßt hatte, die Eigentümlichkeit ihres Ganges im Steinbild festzuhalten. Da aber die einzelnen Variationen der menschlichen Gestaltung nicht unabhängig von einander sind, und tatsächlich auch in unserer Mitte immer wieder die antiken Typen auftauchen, die wir in den Sammlungen antreffen, so wäre es nicht ganz unmöglich, daß eine moderne Bertgang die Gestalt ihrer antiken Ahnfrau auch in allen anderen Zügen ihrer körperlichen Bildung wiederholte. Klüger als solche Spekulation dürfte wohl sein, sich bei dem Dichter selbst nach den Quellen zu erkundigen, aus denen ihm dieses Stück seiner Schöpfung erflossen ist; es ergäbe sich uns dann eine gute Aussicht, wiederum ein Stück vermeintlicher Willkür in Gesetzmäßigkeit aufzulösen. Da uns aber der Zugang zu den Quellen im Seelenleben des Dichters nicht frei steht, so lassen wir ihm das Recht ungeschmälert, eine durchaus lebenswahre Entwicklung auf eine unwahrscheinliche Voraussetzung aufzubauen, ein Recht, das z. B. auch Shakespeare im »King Lear« in Anspruch genommen hat.

Sonst aber, das wollen wir wiederholen, hat uns der Dichter eine völlig korrekte psychiatrische Studie geliefert, an welcher wir unser Verständnis des Seelenlebens messen dürfen, eine Kranken- und Heilungsgeschichte, wie zur Einschärfung gewisser fundamentaler Lehren der ärztlichen Seelenkunde bestimmt. Sonderbar genug, daß der Dichter dies getan haben sollte! Wie nun, wenn er auf Befragen diese Absicht ganz und gar in Abrede stellte? Es ist so leicht anzugleichen und unterzulegen; sind es nicht vielmehr wir, die in die schöne poetische Erzählung einen Sinn hineingeheimnissen, der dem Dichter sehr ferne liegt? Möglich; wir wollen später noch darauf zurückkommen. Vorläufig aber haben wir versucht, uns vor solch tendenziöser Ausdeutung selbst zu bewahren, indem wir die Erzählung fast durchwegs aus den eigenen Worten des Dichter wiedergaben, Text wie Kommentar von ihm selbst besorgen ließen. Wer unsere Reproduktion mit dem Wortlaut der »Gradiva« vergleichen will, wird uns dies zugestehen müssen.

Vielleicht erweisen wir unserem Dichter auch einen schlechten Dienst im Urteil der allermeisten, wenn wir sein Werk für eine psychiatrische Studie erklären. Der Dichter soll der Berührung mit der Psychiatrie aus dem Wege gehen, hören wir sagen, und die Schilderung krankhafter Seelenzustände den Ärzten überlassen. In Wahrheit hat kein richtiger Dichter je dieses Gebot geachtet. Die Schilderung des menschlichen Seelenlebens ist ja seine eigentlichste Domäne; er war jederzeit der Vorläufer der Wissenschaft und so auch der wissenschaftlichen Psychologie. Die Grenze aber zwischen den normal und krankhaft benannten Seelenzuständen ist zum Teil eine konventionelle, zum anderen eine so fließende, daß wahrscheinlich jeder von uns sie im Laufe eines Tages mehrmals überschreitet. Anderseits täte die Psychiatrie unrecht, wenn sie sich dauernd auf das Studium jener schweren und düsteren Erkrankungen einschränken wollte, die durch grobe Beschädigungen des feinen Seelenapparats entstehen. Die leiseren und ausgleichsfähigen Abweichungen vom Gesunden, die wir heute nicht weiter als bis zu Störungen im psychischen Kräftespiel zurückverfolgen können, fallen nicht weniger unter ihr Interesse; ja erst mittels dieser kann sie die Gesundheit wie die Erscheinungen der schweren Krankheit verstehen. So kann der Dichter dem Psychiater, der Psychiater dem Dichter nicht ausweichen, und die poetische Behandlung eines psychiatrischen Themas darf ohne Einbuße an Schönheit korrekt ausfallen.

Korrekt ist nun wirklich diese dichterische Darstellung einer Krankheits- und Behandlungsgeschichte, die wir nach Abschluß der Erzählung und Sättigung der eigenen Spannung besser übersehen können und nun mit den technischen Ausdrücken unserer Wissenschaft reproduzieren wollen, wobei uns die Nötigung zur Wiederholung von bereits Gesagtem nicht stören soll.

Der Zustand Norbert Hanolds wird vom Dichter oft genug ein »Wahn« genannt, und auch wir haben keinen Grund, diese Bezeichnung zu verwerfen. Zwei Hauptcharaktere können wir vom »Wahn« angeben, durch welche er zwar nicht erschöpfend beschrieben, aber doch von anderen Störungen kenntlich gesondert ist. Er gehört erstens zu jener Gruppe von Krankheitszuständen, denen eine unmittelbare Einwirkung aufs Körperliche nicht zukommt, sondern die sich nur durch seelische Anzeichen ausdrücken, und er ist zweitens durch die Tatsache gekennzeichnet, daß bei ihm »Phantasien« zur Oberherrschaft gelangt sind, d. h. Glauben gefunden und Einfluß auf das Handeln genommen haben. Erinnern wir uns der Reise nach Pompeji, um in der Asche nach den besonders gestalteten Fußabdrücken der Gradiva zu suchen, so haben wir in ihr ein prächtiges Beispiel einer Handlung unter der Herrschaft des Wahnes. Der Psychiater würde den Wahn Norbert Hanolds vielleicht der großen Gruppe Paranoia zurechnen und etwa als eine

»fetischistische Erotomanie« bezeichnen, weil ihm die Verliebtheit in das Steinbild das Auffälligste wäre, und weil seiner alles vergröbernden Auffassung das Interesse des jungen Archäologen für die Füße und Fußstellungen weiblicher Personen als »Fetischismus« verdächtig erscheinen muß. Indes haben alle solche Benennungen und Einteilungen der verschiedenen Arten von Wahn nach ihrem Inhalt etwas Mißliches und Unfruchtbares an sich.

Der gestrenge Psychiater würde ferner unseren Helden als Person, die fähig ist, auf Grund so sonderbarer Vorliebe einen Wahn zu entwickeln, sofort zum Dégénéré stempeln und nach der Heredität forschen, die ihn unerbittlich in solches Schicksal getrieben hat. Hierin folgt ihm aber der Dichter nicht; mit gutem Grunde. Er will uns ja den Helden näher bringen, uns die »Einfühlung« erleichtern; mit der Diagnose »Dégénéré«, mag sie nun wissenschaftlich zu rechtfertigen sein oder nicht, ist uns der junge Archäologe sofort ferne gerückt; denn wir Leser sind ja die Normalmenschen und das Maß der Menschheit. Auch die hereditären und konstitutionellen Vorbedingungen des Zustandes kümmern den Dichter wenig; dafür vertieft er sich in die persönliche seelische Verfassung, die einem solchen Wahn den Ursprung geben kann.

Norbert Hanold verhält sich in einem wichtigen Punkte ganz anders als ein gewöhnliches Menschenkind. Er hat kein Interesse für das lebende Weib; die Wissenschaft, der er dient, hat ihm dieses Interesse genommen und es auf die Weiber von Stein oder Bronze verschoben. Man halte dies nicht für eine gleichgültige Eigentümlichkeit; sie ist vielmehr die Grundvoraussetzung der erzählten Begebenheit, denn eines Tages ereignet es sich, daß ein einzelnes solches Steinbild alles Interesse für sich beansprucht, das sonst nur dem lebenden Weib gebührt, und damit ist der Wahn gegeben. Vor unseren Augen entrollt sich dann, wie dieser Wahn durch eine glückliche Fügung geheilt, das Interesse vom Stein wieder auf eine Lebende zurückgeschoben wird. Durch welche Einwirkungen unser Held in den Zustand der Abwendung vom Weibe geraten ist, läßt uns der Dichter nicht verfolgen; er gibt uns nur an, solches Verhalten sei nicht durch seine Anlage erklärt, die vielmehr ein Stück phantastisches – wir dürfen ergänzen: erotisches – Bedürfnis mit einschließt. Auch ersehen wir von später her, daß er in seiner Kindheit nicht von anderen Kindern abwich; er hielt damals eine Kinderfreundschaft mit einem kleinen Mädchen, war unzertrennlich von ihr, teilte mit ihr seine kleinen Mahlzeiten, puffte sie auch und ließ sich von ihr zausen. In solcher Anhänglichkeit, solcher Vereinigung von Zärtlichkeit und Aggression äußert sich die unfertige Erotik des Kinderlebens, die ihre Wirkungen erst nachträglich, aber dann unwiderstehlich äußert, und die während der Kinderzeit selbst nur der Arzt und der Dichter als

Erotik zu erkennen pflegen. Unser Dichter gibt uns deutlich zu verstehen, daß auch er es nicht anders meint, denn er läßt bei seinem Helden bei geeignetem Anlaß plötzlich ein lebhaftes Interesse für Gang und Fußhaltung der Frauen erwachen, das ihn bei der Wissenschaft wie bei den Frauen seines Wohnortes in den Verruf eines Fußfetischisten bringen muß, das sich uns aber notwendig aus der Erinnerung an diese Kindergespielin ableitet. Dieses Mädchen zeigte gewiß schon als Kind die Eigenheit des schönen Ganges mit fast senkrecht aufgestellter Fußspitze beim Schreiten, und durch die Darstellung eben dieses Ganges gewinnt später ein antikes Steinrelief für Norbert Hanold jene große Bedeutung. Fügen wir übrigens gleich hinzu, daß der Dichter sich bei der Ableitung der merkwürdigen Erscheinung des Fetischismus sich in voller Übereinstimmung mit der Wissenschaft befindet. Seit A. Binet versuchen wir wirklich, den Fetischismus auf erotische Kindheitseindrücke zurückzuführen.

Der Zustand der dauernden Abwendung vom Weibe ergibt die persönliche Eignung, wie wir zu sagen pflegen: die Disposition für die Bildung eines Wahnes. Die Entwicklung der Seelenstörung setzt mit dem Momente ein, da ein zufälliger Eindruck die vergessenen und wenigstens spurweise erotisch betonten Kindererlebnisse aufweckt. Aufweckt ist aber gewiß nicht die richtige Bezeichnung, wenn wir, was weiter erfolgt, in Betracht ziehen. Wir müssen die korrekte Darstellung des Dichters in kunstgerechter psychologischer Ausdrucksweise wiedergeben. Norbert Hanold erinnert sich nicht beim Anblick des Reliefs, daß er solche Fußstellung schon bei seiner Jugendfreundin gesehen hat; er erinnert sich überhaupt nicht, und doch rührt alle Wirkung des Reliefs von solcher Anknüpfung an den Eindruck in der Kindheit her. Der Kindheitseindruck wird also rege, wird aktiv gemacht, so daß er Wirkungen zu äußern beginnt, er kommt aber nicht zum Bewußtsein, er bleibt »unbewußt«, wie wir mit einem in der Psychopathologie unvermeidlich gewordenen Terminus heute zu sagen pflegen. Dieses Unbewußte möchten wir allen Streitigkeiten der Philosophen und Naturphilosophen, die oft nur etymologische Bedeutung haben, entzogen sehen. Für psychische Vorgänge, die sich aktiv benehmen und dabei doch nicht zum Bewußtsein der betreffenden Person gelangen, haben wir vorläufig keinen besseren Namen, und nichts anderes meinen wir mit unserem »Unbewußtsein«. Wenn manche Denker uns die Existenz eines solchen Unbewußten als widersinnig bestreiten wollen, so glauben wir, sie hätten sich niemals mit den entsprechenden seelischen Phänomenen beschäftigt, stünden im Banne der regelmäßigen Erfahrung, daß alles Seelische, was aktiv und intensiv wird, damit gleichzeitig auch bewußt wird, und hätten eben noch zu lernen, was unser Dichter sehr wohl weiß, daß es allerdings seelische Vorgänge gibt, die, trotzdem sie intensiv sind und energische Wirkungen äußern, dennoch dem Bewußtsein ferne bleiben.

Wir haben vorhin einmal ausgesprochen, die Erinnerungen an den Kinderverkehr mit Zoë befinden sich bei Norbert Hanold im Zustande der »Verdrängung«; nun haben wir sie »unbewußte« Erinnerungen geheißen. Da müssen wir wohl dem Verhältnis der beiden Kunstworte, die ja im Sinne zusammenzufallen scheinen, einige Aufmerksamkeit zuwenden. Es ist nicht schwer, darüber Aufklärung zu geben. »Unbewußt« ist der weitere Begriff, »verdrängt« der engere. Alles was verdrängt ist, ist unbewußt; aber nicht von allem Unbewußten können wir behaupten, daß es verdrängt sei. Hätte Hanold beim Anblick des Reliefs sich der Gangart seiner Zoë erinnert, so wäre eine früher unbewußte Erinnerung bei ihm gleichzeitig aktiv und bewußt geworden und hätte so gezeigt, daß sie früher nicht verdrängt war. »Unbewußt« ist ein rein deskriptiver, in mancher Hinsicht unbestimmter, ein sozusagen statischer Terminus, »verdrängt« ist ein dynamischer Ausdruck, der auf das seelische Kräftespiel Rücksicht nimmt und besagt, es sei ein Bestreben vorhanden, alle psychischen Wirkungen, darunter auch die des Bewußtwerdens, zu äußern, aber auch eine Gegenkraft, ein Widerstand, der einen Teil dieser psychischen Wirkungen, darunter wieder das Bewußtwerden, zu verhindern vermöge. Kennzeichen des Verdrängten bleibt eben, daß es sich trotz seiner Intensität nicht zum Bewußtsein zu bringen vermag. In dem Falle Hanolds handelt es sich also von dem Auftauchen des Reliefs an um ein verdrängtes Unbewußtes, kurzweg um ein Verdrängtes.

Verdrängt sind bei Norbert Hanold die Erinnerungen an seinen Kinderverkehr mit dem schön schreitenden Mädchen, aber dies ist noch nicht die richtige Betrachtung der psychologischen Sachlage. Wir bleiben an der Oberfläche, so lange wir nur von Erinnerungen und Vorstellungen handeln. Das einzig Wertbare im Seelenleben sind vielmehr die Gefühle; alle Seelenkräfte sind nur durch ihre Eignung, Gefühle zu erwecken, bedeutsam. Vorstellungen werden nur verdrängt, weil sie an Gefühlsentbindungen geknüpft sind, die nicht zu stande kommen sollen; es wäre richtiger zu sagen, die Verdrängung betreffe die Gefühle, nur sind uns diese nicht anders als in ihrer Bindung an Vorstellungen faßbar. Verdrängt sind bei Norbert Hanold also die erotischen Gefühle, und da seine Erotik kein anderes Objekt kennt oder gekannt hat, als in seiner Kindheit die Zoë Bertgang, so sind die Erinnerungen an diese vergessen. Das antike Reliefbild weckt die schlummernde Erotik in ihm auf und macht die Kindheitserinnerungen aktiv. Wegen eines in ihm bestehenden Widerstandes gegen die Erotik können diese Erinnerungen nur als unbewußte wirksam werden. Was sich nun weiter in ihm abspielt, ist ein Kampf zwischen der Macht der Erotik und den sie verdrängenden Kräften; was sich von diesem Kampf äußert, ist ein Wahn.

Unser Dichter hat zu motivieren unterlassen, woher die Verdrängung des Liebeslebens bei seinem Helden rührt; die Beschäftigung mit der Wissenschaft ist ja nur das Mittel, dessen sich die Verdrängung bedient; der Arzt müßte hier tiefer gründen, vielleicht ohne in seinem Falle auf den Grund zu geraten. Wohl aber hat der Dichter, wie wir mit Bewunderung hervorgehoben haben, uns darzustellen nicht versäumt, wie die Erweckung der verdrängten Erotik gerade aus dem Kreise der zur Verdrängung dienenden Mittel erfolgt. Es ist mit Recht eine Antike, das Steinbild eines Weibes, durch welches unser Archäologe aus seiner Abwendung von der Liebe gerissen und gemahnt wird, dem Leben die Schuld abzutragen, mit der wir von unserer Geburt an belastet sind.

Die ersten Äußerungen des nun in Hanold durch das Reliefbild angeregten Prozesses sind Phantasien, welche mit der so dargestellten Person spielen. Als etwas »Heutiges« im besten Sinne erscheint ihm das Modell, als hätte der Künstler die auf der Straße Schreitende »nach dem Leben« festgehalten. Den Namen »Gradiva« verleiht er dem antiken Mädchen, den er nach dem Beiwort des zum Kampfe ausschreitenden Kriegsgottes, des Mars Gradivus, gebildet; mit immer mehr Bestimmungen stattet er ihre Persönlichkeit aus. Sie mag die Tochter eines angesehenen Mannes sein, vielleicht eines Patriziers, der mit dem Tempeldienst einer Gottheit in Verbindung stand, griechische Herkunft glaubt er ihren Zügen abzusehen, und endlich drängt es ihn, sie ferne vom Getriebe einer Großstadt in das stillere Pompeji zu versetzen, wo er sie über die Lavatrittsteine schreiten läßt, die den Übergang von einer Seite der Straße zur anderen ermöglichen. Willkürlich genug erscheinen diese Leistungen der Phantasie und doch wieder harmlos unverdächtig. Ja noch dann, als sich aus ihnen zum erstenmal ein Antrieb zum Handeln ergibt, als der Archäologe von dem Problem bedrückt, ob solche Fußstellung auch der Wirklichkeit entspreche, Beobachtungen nach dem Leben anzustellen beginnt, um den zeitgenössischen Frauen und Mädchen auf die Füße zu sehen, deckt sich dieses Tun durch ihm bewußte wissenschaftliche Motive, als wäre alles Interesse für das Steinbild der Gradiva aus dem Boden seiner fachlichen Beschäftigung mit der Archäologie entsprossen. Die Frauen und Mädchen auf der Straße, die er zu Objekten seiner Untersuchung nimmt, müssen freilich eine andere, grob erotische Auffassung seines Treibens wählen, und wir müssen ihnen recht geben. Für uns leidet es keinen Zweifel, daß Hanold die Motive seiner Forschung so wenig kennt wie die Herkunft seiner Phantasien über die Gradiva. Diese letzteren sind, wie wir später erfahren, Anklänge an seine Erinnerungen an die Jugendgeliebte, Abkömmlinge dieser Erinnerungen, Umwandlungen und Entstellungen derselben, nachdem es ihnen nicht gelungen ist, sich in unveränderter Form zum Bewußtsein zu bringen. Das vorgeblich ästhetische Urteil, das Steinbild stelle etwas »Heutiges« dar, ersetzt das Wissen, daß solcher Gang einem ihm bekannten, in der Gegenwart über die Straße schreitenden Mädchen angehöre; hinter dem Eindruck »nach dem Leben« und der Phantasie ihres Griechentums verbirgt sich die Erinnerung an ihren Namen Zoë, der auf Griechisch Leben bedeutet; Gradiva ist, wie uns der am Ende vom Wahn Geheilte aufklärt, eine gute Übersetzung ihres Familiennamens Bertgang, welcher so viel bedeutet wie »im Schreiten glänzend oder prächtig«; die Bestimmungen über ihren Vater stammen von der Kenntnis, daß Zoë Bertgang die Tochter eines angesehenen Lehrers der Universität sei, die sich wohl als Tempeldienst in die Antike übersetzen läßt. Nach Pompeji endlich versetzt sie seine Phantasie, nicht »weil ihre ruhige, stille Art es zu fordern schien«, sondern weil sich in seiner Wissenschaft keine andere und keine bessere Analogie mit dem merkwürdigen Zustand finden läßt, in dem er durch eine dunkle Kundschaft seine Erinnerungen an seine Kinderfreundschaft verspürt. Hat er einmal, was ihm so nahe liegt, die eigene Kindheit mit der klassischen Vergangenheit zur Deckung gebracht, so ergibt die Verschüttung Pompejis, dies Verschwinden mit Erhaltung des Vergangenen, eine treffliche Ähnlichkeit mit der Verdrängung, von der er durch sozusagen »endopsychische« Wahrnehmung Kenntnis hat. Es arbeitet dabei in ihm dieselbe Symbolik, die zum Schlusse der Erzählung der Dichter das Mädchen bewußterweise gebrauchen läßt.

»Ich sagte mir, irgend etwas Interessantes würde ich wohl schon allein hier ausgraben. Freilich auf den Fund, den ich gemacht, ... hatte ich mit keinem Gedanken gerechnet.« (G. p. 124.) – Zu Ende (G. p. 150) antwortet dann das Mädchen auf den Reisezielwunsch »ihres gewissermaßen gleichfalls aus der Verschüttung wieder ausgegrabenen Kindheitsfreundes«.

So finden wir also schon bei den ersten Leistungen von Hanolds Wahnphantasien und Handlungen eine zweifache Determinierung, eine Ableitbarkeit aus zwei verschiedenen Quellen. Die eine Determinierung ist die, welche Hanold selbst erscheint, die andere die, welche sich uns bei der Nachprüfung seiner seelischen Vorgänge enthüllt. Die eine ist, auf die Person Hanolds bezogen, die ihm bewußte, die andere, die ihm völlig unbewußte. Die eine stammt ganz aus dem Vorstellungskreis der archäologischen Wissenschaft, die andere aber rührt von dem in ihm rege gewordenen verdrängten Kindheitserinnerungen und den an ihnen haftenden Gefühlstrieben her. Die eine ist wie oberflächlich und verdeckt die andere, die sich gleichsam hinter ihr verbirgt. Man könnte sagen, die wissenschaftliche Motivierung diene der unbewußten erotischen zum Vorwand, und die Wissenschaft habe sich ganz in den Dienst des Wahnes gestellt. Aber man darf auch nicht vergessen, daß die unbewußte Determinierung nichts anderes durchzusetzen vermag, als was gleichzeitig der bewußten wissenschaftlichen genügt. Die Symptome des Wahnes - Phantasien wie Handlungen - sind eben Ergebnisse eines Kompromisses zwischen den beiden seelischen Strömungen, und bei einem Kompromiß ist den Anforderungen eines jeden der beiden Teile Rechnung getragen worden; ein jeder Teil hat aber auch auf ein Stück dessen, was er durchsetzen wollte, verzichten müssen. Wo ein Kompromiß zu stande gekommen, da gab es einen Kampf, hier den von uns angenommenen Konflikt zwischen der unterdrückten Erotik und den sie in der Verdrängung erhaltenden Mächten. Bei der Bildung eines Wahnes geht dieser Kampf eigentlich nie zu Ende. Ansturm und Widerstand erneuern sich nach jeder Kompromißbildung, die sozusagen niemals voll genügt. Dies weiß auch unser Dichter und darum läßt er ein Gefühl der Unbefriedigung, eine eigentümliche Unruhe dieses Stadium der Störung bei seinem Helden beherrschen, als Vorläufer und als Bürgschaft weiterer Entwicklungen.

Diese bedeutsamen Eigentümlichkeiten der zweifachen Determinierung für Phantasien und Entschlüsse, der Bildung von bewußten Vorwänden für Handlungen, zu deren Motivierung das Verdrängte den größeren Beitrag geliefert hat, werden uns im weiteren Fortschritt der Erzählung noch öfters, vielleicht noch deutlicher, entgegentreten. Und dies mit vollem Rechte, denn der Dichter hat hiemit den niemals fehlenden Hauptcharakter der krankhaften Seelenvorgänge erfaßt und zur Darstellung gebracht.

Die Entwicklung des Wahnes bei Norbert Hanold schreitet mit einem Traume weiter, der, durch kein neues Ereignis veranlaßt, ganz aus seinem von einem Konflikt erfüllten Seelenleben zu rühren scheint. Doch halten wir ein, ehe wir daran gehen zu prüfen, ob der Dichter auch bei der Bildung seiner Träume unserer Erwartung eines tieferen Verständnisses entspricht. Fragen wir uns vorher, was die psychiatrische Wissenschaft zu seinen Voraussetzungen über die Entstehung eines Wahnes sagt, wie sie sich zur Rolle der Verdrängung und des Unbewußten, zum Konflikt und zur Kompromißbildung stellt. Im kurzen, ob die dichterische Darstellung der Genese eines Wahnes vor dem Richtspruch der Wissenschaft bestehen kann.

Und da müssen wir die vielleicht unerwartete Antwort geben, daß es sich in Wirklichkeit leider ganz umgekehrt verhält: die Wissenschaft besteht nicht vor der Leistung des Dichters. Zwischen den hereditär-konstitutionellen Vorbedingungen und den als fertig erscheinenden Schöpfungen des Wahnes läßt sie eine Lücke klaffen, die wir beim Dichter ausgefüllt finden. Sie ahnt noch nicht die Bedeutung der Verdrängung, erkennt nicht, daß sie zur Erklärung der Welt psychopathologischer Erscheinungen durchaus des Unbewußten bedarf, sie sucht den Grund des Wahnes nicht in einem psychischen Konflikt und erfaßt die Symptome desselben nicht als Kompromißbildung. So stünde denn der Dichter allein gegen die gesamte Wissenschaft? Nein, dies nicht, - wenn der Verfasser nämlich seine eigenen Arbeiten auch der Wissenschaft zurechnen darf. Denn er selbst vertritt seit einer Reihe von Jahren - und bis in die letzte Zeit ziemlich vereinsamt(3) - alle die Anschauungen, die er hier aus der »Gradiva« von W. Jensen herausgeholt und in den Fachausdrücken dargestellt hat. Er hat, am ausführlichsten für die als Hysterie und Zwangsvorstellen bekannten Zustände, als individuelle Bedingung der psychischen Störung die Unterdrückung eines Stückes des Trieblebens und die Verdrängung der Vorstellungen, durch die der unterdrückte Trieb vertreten ist, aufgezeigt, und die gleiche Auffassung bald darauf für manche Formen des Wahnes wiederholt.(4) Ob die für diese Verursachung in Betracht kommenden Triebe jedesmal Komponenten des Sexualtriebes sind oder auch andersartige sein können, das ist ein Problem, welches nur gerade für die Analyse der »Gradiva« gleichgültig bleiben darf, da es sich in dem vom Dichter gewählten Falle sicherlich um nichts als um die Unterdrückung des erotischen Empfindens handelt. Die Gesichtspunkte des psychischen Konflikts und der Symptombildung durch Kompromisse zwischen den beiden miteinander ringenden Seelenströmungen hat der Verfasser an wirklich beobachteten und ärztlich behandelten Krankheitsfällen in ganz gleicher Weise zur Geltung gebracht, wie er es an den vom Dichter erfundenen Norbert Hanold tun konnte. Die Rückführung der nervösen, speziell der hysterischen Krankheitsleistungen auf die Macht unbewußter Gedanken hatte vor dem Verfasser schon P. Janet, der Schüler des großen Charcot, und im Vereine mit dem Verfasser Josef Breuer in Wien unternommen.

Es war dem Verfasser, als er sich in den auf 1893 folgenden Jahren in solche Forschungen über die Entstehung der Seelenstörungen vertiefte, wahrlich nicht eingefallen, Bekräftigung seiner Ergebnisse bei Dichtern zu suchen, und darum war seine Überraschung nicht gering, als er an der 1903 veröffentlichten »Gradiva« merkte, daß der Dichter seiner Schöpfung das nämliche zu Grunde lege, was er aus den Quellen ärztlicher Erfahrung als neu zu schöpfen vermeinte. Wie kam der Dichter nur zu dem gleichen Wissen wie der Arzt, oder wenigstens zum Benehmen, als ob er das gleiche wisse? -

Der Wahn Norbert Hanolds, sagten wir, erfahre eine weitere Entwicklung durch einen Traum, der sich ihm mitten in seinen Bemühungen ereignet, eine Gangart wie die der Gradiva in den Straßen seines Heimatsortes nachzuweisen. Den Inhalt dieses Traumes können wir leicht in Kürze darstellen. Der Träumer befindet sich in Pompeji an jenem Tage, welcher der unglücklichen Stadt den Untergang brachte, macht die Schrecknisse mit, ohne selbst in Gefahr zu geraten, sieht dort plötzlich die Gradiva schreiten und versteht mit einem Male als ganz natürlich, da sie ja eine Pompejanerin sei, lebe sie in ihrer Vaterstadt und, »ohne daß er's geahnt habe, gleichzeitig mit ihm«. Er wird von Angst um sie ergriffen, ruft sie an, worauf sie ihm flüchtig ihr Gesicht zuwendet. Doch geht sie, ohne auf ihn zu achten, weiter, legt sich an den Stufen des Apollotempels nieder, und wird vom Aschenregen verschüttet, nachdem ihr Gesicht sich entfärbt, wie wenn es sich zu weißem Marmor umwandelte, bis es völlig einem Steinbild gleicht. Beim Erwachen deutet er noch den Lärm der Großstadt, der an sein Bett dringt, in das Hilfegeschrei der verzweifelten Bewohner Pompejis und in das Getöse des wild erregten Meeres um. Das Gefühl, daß das, was er geträumt, sich wirklich mit ihm zugetragen, will ihm noch längere Zeit nach dem Erwachen nicht verlassen, und die Überzeugung, daß die Gradiva in Pompeji gelebt und an jenem Unglückstage gestorben sei, bleibt als neuer Ansatz an seinen Wahn von diesem Traume übrig.

Weniger bequem wird es uns zu sagen, was der Dichter mit diesem Traum gewollt, und was ihn veranlaßt hat, die Entwicklung des Wahnes gerade an einen Traum zu knüpfen. Emsige Traumforscher haben zwar Beispiele genug gesammelt, wie Geistesstörung an Träume anknüpft und aus Träumen hervorgeht, und auch in der Lebensgeschichte einzelner hervorragender Menschen sollen Impulse zu wichtigen Taten und Entschließungen durch Träume erzeugt worden sein. Aber unser Verständnis gewinnt gerade nicht viel durch diese Analogien; bleiben wir darum bei unserem Falle, bei dem vom Dichter fingierten Falle des Archäologen Norbert Hanold. An welchem Ende muß man einen solchen Traum wohl anfassen, um ihn in den Zusammenhang einzuflechten, wenn er nicht ein unnötiger Zierat der Darstellung bleiben soll?

Ich kann mir etwa denken, daß ein Leser an dieser Stelle ausruft: Der Traum ist ja leicht zu erklären. Ein einfacher Angsttraum, veranlaßt durch den Lärm der Großstadt, der von dem mit seiner Pompejanerin beschäftigten Archäologen auf den Untergang Pompejis umgedeutet wird! Bei der allgemein herrschenden Geringschätzung für die Leistungen des Traumes pflegt man nämlich den Anspruch auf die Traumerklärung dahin einzuschränken, daß man für ein Stück des geträumten Inhaltes einen äußeren Reiz sucht, der sich etwa mit ihm deckt. Dieser äußere Anreiz zum Träumen wäre durch den Lärm gegeben, welcher den Schläfer weckt; das Interesse an diesem Traume wäre damit erledigt. Wenn wir nur einen

Grund hätten anzunehmen, daß die Großstadt an diesem Morgen lärmender gewesen als sonst, wenn z. B. der Dichter nicht versäumt hätte, uns mitzuteilen, daß Hanold diese Nacht gegen seine Gewohnheit bei geöffnetem Fenster geschlafen. Schade, daß der Dichter sich diese Mühe nicht gegeben hat! Und wenn ein Angsttraum nur etwas so Einfaches wäre! Nein, so einfach erledigt sich dies Interesse nicht.

Die Anknüpfung an einen äußeren Sinnesreiz ist nichts Wesentliches für die Traumbildung. Der Schläfer kann diesen Reiz aus der Außenwelt vernachlässigen, er kann sich durch ihn, ohne einen Traum zu bilden, wecken lassen, er kann ihn auch in seinen Traum verweben, wie es hier geschieht, wenn es ihm aus irgend welchen anderen Motiven so taugt, und es gibt reichlich Träume, für deren Inhalt sich eine solche Determinierung durch einen an die Sinne des Schlafenden gelangenden Reiz nicht erweisen läßt. Nein, versuchen wir's auf einem anderen Wege.

Vielleicht knüpfen wir an den Rückstand an, den der Traum im wachen Leben Hanolds zurückläßt. Es war bisher eine Phantasie von ihm gewesen, daß die Gradiva eine Pompejanerin gewesen sei. Jetzt wird ihm diese Annahme zur Gewißheit, und die zweite Gewißheit schließt sich daran, daß sie dort im Jahre 79 mit verschüttet worden sei. Wehmütige Empfindungen begleiten diesen Fortschritt der Wahnbildung, wie ein Nachklang der Angst, die den Traum erfüllt hatte. Dieser neue Schmerz um die Gradiva will uns nicht recht begreiflich erscheinen; die Gradiva wäre doch heute auch seit vielen Jahrhunderten tot, selbst wenn sie im Jahre 79 ihr Leben vor dem Untergange gerettet hätte, oder sollte man in solcher Weise weder mit Norbert Hanold noch mit dem Dichter selbst rechten dürfen? Auch hier scheint kein Weg zur Aufklärung zu führen. Immerhin wollen wir uns anmerken, daß dem Zuwachs, den der Wahn aus diesem Traum bezieht, eine stark schmerzliche Gefühlsbetonung anhaftet.

Sonst aber wird an unserer Ratlosigkeit nichts gebessert. Dieser Traum erläutert sich nicht von selbst; wir müssen uns entschließen, Anleihen bei der »Traumdeutung« des Verfassers zu machen und einige der dort gegebenen Regeln zur Auflösung der Träume hier anzuwenden.

Da lautet eine dieser Regeln, daß ein Traum regelmäßig mit den Tätigkeiten am Tage vor dem Traum zusammenhängt. Der Dichter scheint andeuten zu wollen, daß er diese Regel befolgt habe, indem er den Traum unmittelbar an die »pedestrischen Prüfungen« Hanolds anknüpft. Nun bedeuten letztere nichts anderes als ein Suchen nach der Gradiva, die er an ihrem charakteristischen Gange erkennen will. Der Traum sollte also einen Hinweis darauf, wo die Gradiva zu finden sei, enthalten. Er enthält ihn wirklich, indem er sie in Pompeji zeigt, aber das ist noch keine Neuigkeit für uns.

Eine andere Regel besagt: wenn nach einem Traum der Glaube an die Realität der Traumbilder ungewöhnlich lange anhält, so daß man sich nicht aus dem Traume losreißen kann, so ist dies nicht etwa eine Urteilstäuschung, hervorgerufen durch die Lebhaftigkeit der Traumbilder, sondern es ist ein psychischer Akt für sich, eine Versicherung, die sich auf den Trauminhalt bezieht, daß etwas darin wirklich so ist, wie man es geträumt hat, und man tut recht daran, dieser Versicherung Glauben zu schenken. Halten wir uns an diese beiden Regeln, so müssen wir schließen, der Traum gebe eine Auskunft über den Verbleib der gesuchten Gradiva, die sich mit der Wirklichkeit deckt. Wir kennen nun den Traum Hanolds; führt die Anwendung der beiden Regeln auf ihn zu irgend einem vernünftigen Sinne?

Merkwürdigerweise ja. Dieser Sinn ist nur auf eine besondere Art verkleidet, so daß man ihn nicht sogleich erkennt. Hanold erfährt im Traume, daß die Gesuchte in einer Stadt und gleichzeitig mit ihm lebe. Das ist ja von der Zoë Bertgang richtig, nur daß diese Stadt im Traum nicht die deutsche Universitätsstadt, sondern Pompeji, die Zeit nicht die Gegenwart, sondern das Jahr 79 unserer Zeitrechnung ist. Es ist wie eine Entstellung durch Verschiebung, nicht die Gradiva ist in die Gegenwart, sondern der Träumer ist in die Vergangenheit versetzt; aber das Wesentliche und Neue, daß er mit der Gesuchten Ort und Zeit teile, ist auch so gesagt. Woher wohl diese Verstellung und Verkleidung, die uns sowie den Träumer selbst über den eigentlichen Sinn und Inhalt des Traumes täuschen muß? Nun wir haben bereits die Mittel in der Hand, um eine befriedigende Antwort auf diese Frage zu geben.

Erinnern wir uns an all das, was wir über die Natur und Abkunft der Phantasien, dieser Vorläufer des Wahnes, gehört haben. Daß sie Ersatz und Abkömmlinge von verdrängten Erinnerungen sind, denen ein Widerstand nicht gestattet, sich unverändert zum Bewußtsein zu bringen, die sich aber das Bewußtwerden dadurch erkaufen, daß sie durch Veränderungen und Entstellungen der Zensur des Widerstandes Rechnung tragen. Nachdem dieses Kompromiß vollzogen ist, sind jene Erinnerungen nun zu diesen Phantasien geworden, die von der bewußten

Person leicht mißverstanden, d. h. im Sinne der herrschenden psychischen Strömung verstanden werden können. Nun stelle man sich vor, die Traumbilder seien die sozusagen physiologischen Wahnschöpfungen des Menschen, die Kompromißergebnisse jenes Kampfes zwischen Verdrängtem und Herrschendem, den es wahrscheinlich bei jedem, auch tagsüber völlig geistesgesunden Menschen gibt. Dann versteht man, daß man die Traumbilder als etwas Entstelltes zu betrachten hat, hinter dem etwas anderes, nicht Entstelltes, aber in gewissem Sinne Anstößiges zu suchen ist, wie die verdrängten Erinnerungen Hanolds hinter seinen Phantasien. Dem so erkannten Gegensatz wird man etwa Ausdruck schaffen, indem man das, was der Träumer beim Erwachen erinnert, als manifesten Trauminhalt unterscheidet von dem, was die Grundlage des Traumes vor der Zensurentstellung ausmachte, den latenten Traumgedanken. Einen Traum deuten heißt dann so viel als den manifesten Trauminhalt in die latenten Traumgedanken übersetzen, die Entstellung rückgängig machen, welche sich letztere von der Widerstandszensur gefallen lassen mußten. Wenden wir diese Erwägungen auf den uns beschäftigenden Traum an, so finden wir, die latenten Traumgedanken können nur gelautet haben: Das Mädchen, das jenen schönen Gang hat, nach dem du suchst, lebt wirklich in dieser Stadt mit dir. Aber in dieser Form konnte der Gedanke nicht bewußt werden; es stand ihm ja im Wege, daß eine Phantasie als Ergebnis eines früheren Kompromisses festgestellt hatte, die Gradiva sei eine Pompejanerin, folglich blieb nichts übrig, wenn die wirkliche Tatsache des Lebens am gleichen Orte und zur gleichen Zeit gewahrt werden sollte, als die Entstellung vorzunehmen: du lebst ja in Pompeji zur Zeit der Gradiva, und dies ist dann die Idee, welche der manifeste Trauminhalt realisiert, als eine Gegenwart, die man durchlebt, darstellt.

Ein Traum ist nur selten die Darstellung, man könnte sagen: Inszenierung eines einzigen Gedankens, meist einer Reihe von solchen, eines Gedankengewebes. Aus dem Traume Hanolds läßt sich noch ein anderer Bestandteil des Inhaltes hervorheben, dessen Entstellung leicht zu beseitigen ist, so daß man die durch ihn vertretene latente Idee erfährt. Es ist dies ein Stück des Traumes, auf welches man auch noch die Versicherung der Wirklichkeit ausdehnen kann, mit welcher der Traum abschloß. Im Traum verwandelt sich nämlich die schreitende Gradiva in ein Steinbild. Das ist ja nichts anderes als eine sinnreiche und poetische Darstellung des wirklichen Herganges. Hanold hatte in der Tat sein Interesse von der Lebenden auf das Steinbild übertragen; die Geliebte hatte sich ihm in ein steinernes Relief verwandelt. Die latenten Traumgedanken, die unbewußt bleiben müssen, wollen dies Bild in die Lebende zurückverwandeln; sie sagen ihm etwa im Zusammenhalt mit dem vorigen: Du interessierst dich doch nur für das Relief der Gradiva, weil es dich an die gegenwärtige, hier lebende Zoë erinnert. Aber diese Einsicht würde, wenn sie bewußt werden könnte, das Ende des Wahnes bedeuten.

Obliegt uns etwa die Verpflichtung, jedes einzelne Stück des manifesten Trauminhaltes in solcher Weise durch unbewußte Gedanken zu ersetzen? Strenggenommen, ja; bei der Deutung eines wirklich geträumten Traumes würden wir uns dieser Pflicht nicht entziehen dürfen. Der Träumer müßte uns dann auch in ausgiebigster Weise Rede stehen. Es ist begreiflich, daß wir solche Forderung bei dem Geschöpf des Dichters nicht durchführen können; wir wollen aber doch nicht übersehen, daß wir den Hauptinhalt dieses Traumes noch nicht der Deutungs- oder Übersetzungsarbeit unterzogen haben.

Der Traum Hanolds ist ja ein Angsttraum. Sein Inhalt ist schreckhaft, Angst wird vom Träumer im Schlafe verspürt und schmerzliche Empfindungen bleiben nach ihm übrig. Das ist nun gar nicht bequem für unseren Erklärungsversuch; wir sind wiederum zu großen Anleihen bei der Lehre von der Traumdeutung genötigt. Diese mahnt uns dann, doch ja nicht in den Irrtum zu verfallen, die Angst, die man in einem Traum empfindet, von dem Inhalt des Traumes abzuleiten, den Trauminhalt doch nicht so zu behandeln wie einen Vorstellungsinhalt des wachen Lebens. Sie macht uns darauf aufmerksam, wie oft wir die gräßlichsten Dinge träumen, ohne daß eine Spur von Angst dabei empfunden wird. Vielmehr sei der wahre Sachverhalt ein ganz anderer, der nicht leicht zu erraten, aber sicher zu beweisen ist. Die Angst des Angsttraumes entspreche einem sexuellen Affekt, einer libidinösen Empfindung, wie überhaupt jede nervöse Angst, und sei durch den Prozeß der Verdrängung aus der Libido hervorgegangen. Bei der Deutung des Traumes müsse man also die Angst durch sexuelle Erregtheit ersetzen. Die so entstandene Angst übe nun - nicht regelmäßig, aber häufig - einen auswählenden Einfluß auf den Trauminhalt aus und bringe Vorstellungselemente in den Traum, welche für die bewußte und mißverständliche Auffassung des Traumes zum Angstaffekt passend erscheinen. Dies sei, wie gesagt, keineswegs regelmäßig der Fall, denn es gebe genug Angstträume, in denen der Inhalt gar nicht schreckhaft ist, wo man sich also die verspürte Angst nicht bewußterweise erklären könne.

Ich weiß, daß diese Aufklärung der Angst im Traume sehr befremdlich klingt und nicht leicht Glauben findet; aber ich kann nur raten, sich mit ihr zu befreunden. Es wäre übrigens recht merkwürdig, wenn der Traum Norbert Hanolds sich mit dieser Auffassung der Angst vereinen und aus ihr erklären ließe. Wir würden dann sagen, beim Träumer rühre sich nächtlicherweise die Liebessehnsucht, mache einen kräftigen Vorstoß, um ihm die Erinnerung an die Geliebte bewußt zu machen und ihn so aus dem Wahn zu reißen, erfahre aber neuerliche Ablehnung und Verwandlung in Angst, die nun ihrerseits die schreckhaften Bilder aus der Schulerinnerung des Träumers in den Trauminhalt bringe. Auf diese Weise werde der eigentliche unbewußte Inhalt des Traumes, die verliebte Sehnsucht nach der einst gekannten Zoë, in den manifesten Inhalt vom Untergang Pompejis und vom Verlust der Gradiva umgestaltet.

Ich meine, das klingt so weit ganz plausibel. Man könnte aber mit Recht die Forderung aufstellen, wenn erotische Wünsche den unentstellten Inhalt dieses Traumes bilden, so müsse man auch im umgeformten Traum wenigstens einen kenntlichen Rest derselben irgendwo versteckt aufzeigen können. Nun, vielleicht gelingt selbst dies mit Hilfe eines Hinweises aus der später folgenden Erzählung. Beim ersten Zusammentreffen mit der vermeintlichen Gradiva gedenkt Hanold dieses Traumes und richtet an die Erscheinung die Bitte, sich wieder so hinzulegen, wie er es damals gesehen. Daraufhin aber erhebt sich die junge Dame entrüstet und verläßt ihren sonderbaren Partner, aus dessen wahnbeherrschten Reden sie den unziemlichen erotischen Wunsch herausgehört hat. Ich glaube, wir dürfen uns die Deutung der Gradiva zu eigen machen; eine größere Bestimmtheit für die Darstellung des erotischen Wunsches wird man auch von einem realen Traume nicht immer fordern dürfen.

Somit hatte die Anwendung einiger Regeln der Traumdeutung auf den ersten Traum Hanolds den Erfolg gehabt, uns diesen Traum in seinen Hauptzügen verständlich zu machen und ihn in den Zusammenhang der Erzählung einzufügen. Er muß also wohl vom Dichter unter Beachtung dieser Regeln geschaffen worden sein? Man könnte nur noch eine Frage aufwerfen, warum der Dichter zur weiteren Entwicklung des Wahnes überhaupt einen Traum einführe. Nun, ich meine, das ist recht sinnreich komponiert und hält wiederum der Wirklichkeit die Treue. Wir haben schon gehört, daß in realen Krankheitsfällen eine Wahnbildung recht häufig an einen Traum anschließt, brauchen aber nach unseren Aufklärungen über das Wesen des Traumes kein neues Rätsel in diesem Sachverhalt zu finden. Traum und Wahn stammen aus derselben Quelle, vom Verdrängten her; der Traum ist der sozusagen physiologische Wahn des normalen Menschen. Ehe das Verdrängte stark genug geworden ist, um sich im Wachleben als Wahn durchzusetzen, kann es leicht seinen ersten Erfolg unter den günstigeren Umständen des Schlafzustandes in Gestalt eines nachhaltig wirkenden Traumes errungen haben. Während des Schlafes tritt nämlich, mit der Herabsetzung der seelischen Tätigkeit überhaupt, auch ein Nachlaß in der Stärke des Widerstandes ein, den die herrschenden psychischen

Mächte dem Verdrängten entgegensetzen. Dieser Nachlaß ist es, der die Traumbildung ermöglicht, und darum wird der Traum für uns der beste Zugang zur Kenntnis des unbewußten Seelischen. Nur, daß für gewöhnlich mit der Herstellung der psychischen Besetzungen des Wachens der Traum wieder verfliegt, der vom Unbewußten gewonnene Boden wieder geräumt wird.

KAPITEL III

Im weiteren Verlaufe der Erzählung findet sich noch ein anderer Traum, der uns vielleicht noch mehr als der erste verlocken kann, seine Übersetzung und Einfügung in den Zusammenhang des seelischen Geschehens beim Helden zu versuchen. Aber wir ersparen wenig, wenn wir hier die Darstellung des Dichters verlassen, um direkt zu diesem zweiten Traum zu eilen, denn wer den Traum eines anderen deuten will, der kann nicht umhin, sich möglichst ausführlich um alles zu bekümmern, was der Träumer äußerlich und innerlich erlebt hat. Somit wäre es fast das beste, wenn wir beim Faden der Erzählung verblieben und diese fortlaufend mit unseren Glossen versähen.

Die Wahnneubildung vom Tode der Gradiva beim Untergang Pompejis im Jahre 79 ist nicht die einzige Nachwirkung des von uns analysierten ersten Traumes. Unmittelbar nachher entschließt sich Hanold zu einer Reise nach Italien, die ihn endlich nach Pompeji bringt. Vorher aber begibt sich noch etwas anderes mit ihm; aus dem Fenster lehnend, glaubt er auf der Straße eine Gestalt mit der Haltung und dem Gange seiner Gradiva zu bemerken, eilt ihr trotz seiner mangelhaften Bekleidung nach, erreicht sie aber nicht, sondern wird durch den Spott der Leute auf der Straße zurückgetrieben. Nachdem er wieder in sein Zimmer zurückgekehrt ist, ruft das Singen eines Kanarienvogels, dessen Käfig an einem Fenster des Hauses gegenüber hängt, eine Stimmung in ihm hervor, als ob auch er aus der Gefangenschaft in die Freiheit wollte, und die Frühjahrsreise ist ebenso schnell beschlossen wie ausgeführt.

Der Dichter hat diese Reise Hanolds in ganz besonders scharfes Licht gerückt und ihm selbst teilweise Klarheit über seine inneren Vorgänge gegönnt. Hanold hat sich selbstverständlich einen wissenschaftlichen Vorwand für sein Reisen angegeben, aber dieser hält nicht vor. Er weiß doch eigentlich, daß »ihm der Antrieb zur Reise aus einer unnennbaren Empfindung entsprungen war«. Eine eigentümliche Unruhe heißt ihn mit allem, was er antrifft, unzufrieden sein und treibt ihn von Rom nach Neapel, von dort nach Pompeji, ohne daß er sich, auch nicht in dieser letzten Station, in seiner Stimmung zurechtfände. Er ärgert sich über die Torheit der Hochzeitsreisenden und ist empört über die Frechheit der Stubenfliegen, die Pompejis Gasthäuser bevölkern. Aber endlich täuscht er sich nicht darüber, »daß seine Unbefriedigung wohl nicht allein durch das um ihn herum Befindliche verursacht werde, sondern etwas ihren Ursprung auch aus ihm selbst schöpfe«. Er hält sich für überreizt, fühlt, »daß er mißmutig sei, weil ihm etwas fehle, ohne daß er sich aufhellen könne, was. Und diese Mißstimmung bringt er überallhin mit sich«. In solcher Verfassung empört er sich sogar gegen seine Herrscherin, die Wissenschaft; wie er das erstemal in der Mittagssonnenglut durch Pompeji wandelt, »hatte seine ganze Wissenschaft ihn nicht allein verlassen, sondern ließ ihn auch ohne das geringste Begehren, sie wieder aufzufinden; er erinnerte sich ihrer nur wie aus einer weiten Ferne, und in seiner Empfindung war sie eine alte, eingetrocknete, langweilige Tante gewesen, das ledernste und überflüssigste Geschöpf auf der Welt«. (G. p. 55.)

In diesem unerquicklichen und verworrenen Gemütszustand löst sich ihm dann das eine der Rätsel, welche an dieser Reise hängen, in dem Moment, da er zuerst die Gradiva durch Pompeji schreiten sieht. Es kommt ihm »zum erstenmal zum Bewußtwerden: Er sei, ohne selbst von dem Antrieb in seinem Innern zu wissen, deshalb nach Italien und ohne Aufenthalt von Rom und Neapel bis Pompeji weitergefahren, um danach zu suchen, ob er hier Spuren von ihr auffinden könne. Und zwar im wörtlichen Sinne, denn bei ihrer besonderen Gangart mußte sie in der Asche einen von allen übrigen sich unterscheidenden Abdruck der Zehen hinterlassen haben«. (G. p. 58.)

Da der Dichter so viel Sorgfalt auf die Darstellung dieser Reise verwendet, muß es auch uns der Mühe wert sein, deren Verhältnis zum Wahn Hanolds und deren Stellung im Zusammenhang der Begebenheiten zu erläutern. Die Reise ist ein Unternehmen aus Motiven, welche die Person zunächst nicht erkennt und erst später sich eingesteht, Motiven, welche der Dichter direkt als »unbewußte« bezeichnet. Dies ist gewiß dem Leben abgelauscht; man braucht nicht im Wahn zu sein, um so zu handeln; vielmehr ist es ein alltägliches Vorkommnis, selbst bei

Gesunden, daß sie sich über die Motive ihres Handelns täuschen und ihrer erst nachträglich bewußt werden, wenn nur ein Konflikt mehrerer Gefühlsströmungen ihnen die Bedingung für solche Verworrenheit herstellt. Die Reise Hanolds war also von Anfang an darauf angelegt, dem Wahne zu dienen, und sollte ihn nach Pompeji bringen, um die Nachforschung nach der Gradiva dort fortzusetzen. Wir erinnern, daß vor und unmittelbar nach dem Traum diese Nachforschung ihn erfüllte, und daß der Traum selbst nur eine von seinem Bewußtsein erstickte Antwort auf die Frage nach dem Aufenthalt der Gradiva war. Irgend eine Macht, die wir nicht erkennen, hemmt aber zunächst auch das Bewußtwerden des wahnhaften Vorsatzes, so daß zur bewußten Motivierung der Reise nur unzulängliche, streckenweise zu erneuernde Vorwände erübrigen. Ein anderes Rätsel gibt uns der Dichter auf, indem er den Traum, die Entdeckung der vermeintlichen Gradiva auf der Straße und die Entschließung zur Reise durch den Einfluß des singenden Kanarienvogels wie Zufälligkeiten ohne innere Beziehung aufeinander folgen läßt.

Mit Hilfe der Aufklärungen, die wir den späteren Reden der Zoë Bertgang entnehmen, wird dieses dunkle Stück der Erzählung für unser Verständnis erhellt. Es war wirklich das Urbild der Gradiva, Fräulein Zoë selbst, das Hanold von seinem Fenster aus auf der Straße schreiten sah (G. p. 89) und das er bald eingeholt hätte. Die Mitteilung des Traumes: sie lebt ja am heutigen Tage in der nämlichen Stadt wie du, hätte so durch einen glücklichen Zufall eine unwiderstehliche Bekräftigung erfahren, vor welcher sein inneres Sträuben zusammengebrochen wäre. Der Kanarienvogel aber, dessen Gesang Hanold in die Ferne trieb, gehörte Zoë, und sein Käfig stand an ihrem Fenster, dem Hause Hanolds schräg gegenüber. (G. p. 135.) Hanold, der nach der Anklage des Mädchens die Gabe der »negativen Halluzination« besaß, die Kunst verstand, auch gegenwärtige Personen nicht zu sehen und nicht zu erkennen, muß von Anfang an die unbewußte Kenntnis dessen gehabt haben, was wir erst spät erfahren. Die Zeichen der Nähe Zoës, ihr Erscheinen auf der Straße und der Gesang ihres Vogels so nahe seinem Fenster, verstärken die Wirkung des Traumes, und in dieser für seinen Widerstand gegen die Erotik so gefährlichen Situation – ergreift er die Flucht. Die Reise entspringt einem Aufraffen des Widerstandes nach jenem Vorstoß der Liebessehnsucht im Traum, einem Fluchtversuch von der leibhaftigen und gegenwärtigen Geliebten weg. Sie bedeutet praktisch einen Sieg der Verdrängung, die diesmal im Wahne die Oberhand behält, wie bei seinem früheren Tun, den »pedestrischen Untersuchungen« an Frauen und Mädchen, die Erotik siegreich gewesen war. Überall aber ist in diesem Schwanken des Kampfes die Kompromißnatur der Entscheidungen gewahrt; die Reise nach Pompeji, die von der lebenden Zoë wegführen soll, führt wenigstens zu ihrem Ersatz, zur Gradiva. Die Reise, die den latenten Traumgedanken zum Trotze unternommen wird, folgt doch der Weisung des manifesten Trauminhaltes nach Pompeji. So triumphiert der Wahn von neuem, jedesmal wenn Erotik und Widerstand von neuem streiten.

Diese Auffassung der Reise Hanolds als Flucht vor der in ihm erwachenden Liebessehnsucht nach der so nahen Geliebten harmoniert allein mit den bei ihm geschilderten Gemütszuständen während seines Aufenthaltes in Italien. Die ihn beherrschende Ablehnung der Erotik drückt sich dort in seiner Verabscheuung der Hochzeitsreisenden aus. Ein kleiner Traum im Albergo in Rom, veranlaßt durch die Nachbarschaft eines deutschen Liebespaares, »August und Grete«, deren Abendgespräch er durch die dünne Zwischenwand belauschen muß, wirft wie nachträglich ein Licht auf die erotischen Tendenzen seines ersten großen Traumes. Der neue Traum versetzt ihn wieder nach Pompeji, wo eben wieder der Vesuv ausbricht, und knüpft so an den während der Reise fortwirkenden Traum an. Aber unter den gefährdeten Personen gewahrt er diesmal – nicht wie früher sich und die Gradiva –, sondern den Apoll von Belvedere und die kapitolinische Venus, wohl als ironische Erhöhungen des Paares im Nachbarraum. Apoll hebt die Venus auf, trägt sie fort und legt sie auf einen Gegenstand im Dunkeln hin, der ein Wagen oder Karren zu sein scheint, denn ein »knarrender Ton« schallt davon her. Der Traum bedarf sonst keiner besonderen Kunst zu seiner Deutung. (G. p. 31.)

Unser Dichter, dem wir längst zutrauen, daß er auch keinen einzelnen Zug müßig und absichtslos in seiner Schilderung aufträgt, hat uns noch ein anderes Zeugnis für die Hanold auf der Reise beherrschende asexuelle Strömung gegeben. Während des stundenlangen Umherwanderns in Pompeji kommt es ihm »merkwürdigerweise nicht ein einziges Mal in Erinnerung, daß er vor einiger Zeit einmal geträumt habe, bei der Verschüttung Pompejis durch den Kraterausbruch im Jahre 79 zugegen gewesen zu sein«. (G. p. 47.) Erst beim Anblick der Gradiva besinnt er sich plötzlich dieses Traumes, wie ihm auch gleichzeitig das wahnhafte Motiv seiner rätselhaften Reise bewußt wird. Was könnte nun dies Vergessen des Traumes, diese Verdrängungsschranke zwischen dem Traum und dem Seelenzustand auf der Reise anders bedeuten, als daß die Reise nicht auf direkte Anregung des Traumes erfolgt ist, sondern in der Auflehnung gegen denselben, als Ausfluß einer seelischen Macht, die vom geheimen Sinne des Traumes nichts wissen will?

Anderseits aber wird Hanold dieses Sieges über seine Erotik nicht froh. Die unterdrückte seelische Regung bleibt stark genug, um sich durch Mißbehagen und Hemmung an der unterdrückenden zu rächen. Seine Sehnsucht hat sich in Unruhe und Unbefriedigung verwandelt, die ihm die Reise sinnlos erscheinen läßt; gehemmt ist die Einsicht in die Motivierung der Reise im Dienste des Wahnes, gestört sein Verhältnis zu seiner Wissenschaft, die an solchem Orte all sein Interesse rege machen sollte. So zeigt uns der Dichter seinen Helden nach seiner Flucht vor der Liebe in einer Art von Krisis, in einem gänzlich verworrenen und zerfahrenen Zustand, in einer Zerrüttung, wie sie auf der Höhe der Krankheitszustände vorzukommen pflegt, wenn keine der beiden streitenden Mächte mehr um so viel stärker ist als die andere, daß die Differenz ein strammes, seelisches Regime begründen könnte. Hier greift dann der Dichter helfend und schlichtend ein, denn an dieser Stelle läßt er die Gradiva auftreten, welche die Heilung des Wahnes unternimmt. Mit seiner Macht, die Schicksale der von ihm geschaffenen Menschen zum Guten zu lenken, trotz all der Notwendigkeiten, denen er sie gehorchen läßt, versetzt er das Mädchen, vor dem Hanold nach Pompeji geflohen ist, ebendahin und korrigiert so die Torheit, die der Wahn den jungen Mann begehen ließ, sich von dem Wohnort der leibhaftigen Geliebten zur Todesstätte der sie in der Phantasie ersetzenden zu begeben.

Mit dem Erscheinen der Zoë Bertgang als Gradiva, welches den Höhepunkt der Spannung in der Erzählung bezeichnet, tritt bald auch eine Wendung in unserem Interesse ein. Haben wir bisher die Entwicklung eines Wahnes miterlebt, so sollen wir jetzt Zeugen seiner Heilung werden und dürfen uns fragen, ob der Dichter den Hergang dieser Heilung bloß fabuliert oder im Anschluß an wirklich vorhandene Möglichkeiten gebildet hat. Nach Zoës eigenen Worten in der Unterhaltung mit der Freundin haben wir entschieden das Recht, ihr solche Heilungsabsicht zuzuschreiben. (G. p. 124.) Wie schickt sie sich aber dazu an? Nachdem sie die Entrüstung zurückgedrängt, welche die Zumutung, sich wieder wie »damals« zum Schlafen hinzulegen, bei ihr hervorgerufen, findet sie sich zur gleichen Mittagsstunde des nächsten Tages am nämlichen Orte ein und entlockt nun Hanold all das geheime Wissen, das ihr zum Verständnis seines Benehmens am Vortage gefehlt hat. Sie erfährt von seinem Traum, vom Reliefbild der Gradiva und von der Eigentümlichkeit des Ganges, welche sie mit diesem Bilde teilt. Sie akzeptiert die Rolle des für eine kurze Stunde zum Leben erwachten Gespenstes, welche, wie sie merkt, sein Wahn ihr zugeteilt, und weist ihm leise in mehrdeutigen Worten eine neue Stellung an, indem sie die Gräberblume von ihm annimmt, die er ohne bewußte Absicht mitgebracht, und das Bedauern ausspricht, daß er ihr nicht Rosen gegeben hat. (G. p. 90.)

Unser Interesse für das Benehmen des überlegen klugen Mädchens, welches beschlossen hat, sich den Jugendgeliebten zum Manne zu gewinnen, nachdem sie hinter seinem Wahn seine Liebe als treibende Kraft erkannt, wird aber an dieser

Stelle wahrscheinlich von dem Befremden zurückgedrängt, welches dieser Wahn selbst bei uns erregen kann. Dessen letzte Ausgestaltung, daß die im Jahre 79 verschüttete Gradiva nun als Mittagsgespenst für eine Stunde mit ihm Rede tauschen könne, nach deren Ablauf sie versinke oder ihre Gruft wieder aufsuche, dieses Hirngespinst, welches weder durch die Wahrnehmung ihrer modernen Fußbekleidung noch durch ihre Unkenntnis der alten Sprachen und ihre Beherrschung des damals nicht existierenden Deutschen beirrt wird, scheint wohl die Bezeichnung des Dichters »Ein pompejanisches Phantasiestück« zu rechtfertigen, aber jedes Messen an der klinischen Wirklichkeit auszuschließen. Und doch scheint mir bei näherer Erwägung die Unwahrscheinlichkeit dieses Wahnes zum größeren Teile zu zergehen. Einen Teil der Verschuldung hat ja der Dichter auf sich genommen und in der Voraussetzung der Erzählung, daß Zoë in allen Zügen das Ebenbild des Steinreliefs sei, mitgebracht. Man muß sich also hüten, die Unwahrscheinlichkeit von dieser Voraussetzung auf deren Konsequenz, daß Hanold das Mädchen für die belebte Gradiva hält, zu verschieben. Die wahnhafte Erklärung wird hier dadurch im Wert gehoben, daß auch der Dichter uns keine rationelle zur Verfügung gestellt hat. In der Sonnenglut Kampaniens und in der verwirrenden Zauberkraft des Weines, der am Vesuv wächst, hat der Dichter ferner andere helfende und mildernde Umstände für die Ausschreitung des Helden herangezogen. Das wichtigste aller erklärenden und entschuldigenden Momente bleibt aber die Leichtigkeit, mit welcher unser Denkvermögen sich zur Annahme eines absurden Inhaltes entschließt, wenn stark affektbetonte Regungen dabei ihre Befriedigung finden, Es ist erstaunlich und findet meist viel zu geringe Würdigung, wie leicht und häufig selbst intelligenzstarke Personen unter solchen psychologischen Konstellationen die Reaktionen partiellen Schwachsinnes geben, und wer nicht allzu eingebildet ist, mag dies auch beliebig oft an sich selbst beobachten. Und nun erst dann, wenn ein Teil der in Betracht kommenden Denkvorgänge an unbewußten oder verdrängten Motiven haftet! Ich zitiere dabei gern die Worte eines Philosophen, der mir schreibt: »Ich habe auch angefangen, mir selbsterlebte Fälle von frappanten Irrtümern zu notieren, gedankenloser Handlungen, die man sich nachträglich motiviert (in sehr unvernünftiger Weise). Es ist erschreckend, aber typisch, wieviel Dummheit dabei zu Tage kommt.« Und nun nehme man dazu, daß der Glaube an Geister und Gespenster und wiederkehrende Seelen, der so viel Anlehnungen in den Religionen findet, denen wir alle wenigstens als Kinder angehängt haben, keineswegs bei allen Gebildeten untergegangen ist, daß so viele sonst Vernünftige die Beschäftigung mit dem Spiritismus mit der Vernunft vereinbar finden. Ja selbst der nüchtern und ungläubig Gewordene mag mit Beschämung wahrnehmen, wie leicht er sich für einen Moment zum Geisterglauben zurückwendet, wenn Ergriffenheit und Ratlosigkeit bei ihm zusammentreffen. Ich weiß von einem Arzt, der einmal eine seiner Patientinnen an der Basedowschen Krankheit verloren hatte und einen leisen Verdacht nicht bannen konnte, daß er durch unvorsichtige Medikation vielleicht zum unglücklichen Ausgange beigetragen habe. Eines Tages, mehrere Jahre später, trat ein Mädchen in sein ärztliches Zimmer, in dem er, trotz alles Sträubens, die Verstorbene erkennen mußte. Er konnte keinen anderen Gedanken fassen als, es sei doch wahr, daß die Toten wiederkommen können, und sein Schaudern wich erst der Scham, als die Besucherin sich als die Schwester jener an der gleichen Krankheit Verstorbenen vorstellte. Die Basedowsche Krankheit verleiht den von ihr Befallenen eine oft bemerkte, weitgehende Ähnlichkeit der Gesichtszüge, und in diesem Falle war die typische Ähnlichkeit über der schwesterlichen aufgetragen. Der Arzt aber, dem sich dies ereignet, war ich selbst, und darum bin gerade ich nicht geneigt, dem Norbert Hanold die klinische Möglichkeit seines kurzen Wahnes von der ins Leben zurückgekehrten Gradiva zu bestreiten. Daß in ernsten Fällen chronischer Wahnbildung (Paranoia) das Äußerste an geistreich ausgesponnenen und gut vertretenen Absurditäten geleistet wird, ist endlich jedem Psychiater wohlbekannt. –

Nach der ersten Begegnung mit der Gradiva hatte Norbert Hanold zuerst in dem einen und dann im anderen der ihm bekannten Speisehäuser Pompejis seinen Wein getrunken, während die anderen Besucher mit der Hauptmahlzeit beschäftigt waren. »Selbstverständlich war ihm mit keinem Gedanken die widersinnige Annahme in den Sinn gekommen«, er tue so, um zu erfahren, in welchem Gasthof die Gradiva wohne und ihre Mahlzeiten einnehme, aber es ist schwer zu sagen, welchen anderen Sinn dies sein Tun sonst hätte haben können. Am Tage nach dem zweiten Beisammensein im Hause des Meleager erlebt er allerlei merkwürdige und scheinbar unzusammenhängende Dinge: er findet einen engen Spalt in der Mauer des Portikus, dort, wo die Gradiva verschwunden war, begegnet einem närrischen Eidechsenfänger, der ihn wie einen Bekannten anredet, entdeckt ein drittes, versteckt gelegenes Wirtshaus, den »Albergo del Sole«, dessen Besitzer ihm eine grünpatinierte Metallspange als Fundstück bei den Überresten eines pompejanischen Mädchens aufschwatzt, und wird endlich in seinem eigenen Gasthof auf ein neu angekommenes junges Menschenpaar aufmerksam, welches er als Geschwisterpaar diagnostiziert, und dem er seine Sympathie schenkt. Alle diese Eindrücke verweben sich dann zu einem »merkwürdig unsinnigen« Traum, der folgenden Wortlaut hat:

»Irgendwo in der Sonne sitzt die Gradiva, macht aus einem Grashalm eine Schlinge, um eine Eidechse darin zu fangen, und sagt dazu: ›Bitte, halte dich ganz ruhig – die Kollegin hat recht, das Mittel ist wirklich gut, und sie hat es mit bestem Erfolge angewendet‹.«

Gegen diesen Traum wehrt er sich noch im Schlafe mit der Kritik, das sei in der Tat vollständige Verrücktheit, und wirft sich herum, um von ihm loszukommen. Dies gelingt ihm auch mit Beihilfe eines unsichtbaren Vogels, der einen kurzen, lachenden Ruf ausstößt und die Lacerte im Schnabel forträgt.

Wollen wir den Versuch wagen, auch diesen Traum zu deuten, d. h. ihn durch die latenten Gedanken zu ersetzen, aus deren Entstellung er hervorgegangen sein muß? Er ist so unsinnig, wie man es nur von einem Traume erwarten kann, und diese Absurdität der Träume ist ja die Hauptstütze der Anschauung, welche dem Traum den Charakter eines vollgiltigen psychischen Aktes verweigert und ihn aus einer planlosen Erregung der psychischen Elemente hervorgehen läßt.

Wir können auf diesen Traum die Technik anwenden, welche als das reguläre Verfahren der Traumdeutung bezeichnet werden kann. Es besteht darin, sich um den scheinbaren Zusammenhang im manifesten Traum nicht zu bekümmern, sondern jedes Stück des Inhaltes für sich ins Auge zu fassen und in den Eindrücken, Erinnerungen und freien Einfällen des Träumers die Ableitung desselben zu suchen. Da wir aber Hanold nicht examinieren können, werden wir uns mit der Beziehung auf seine Eindrücke zufrieden geben müssen, und nur ganz schüchtern unsere eigenen Einfälle an die Stelle der seinigen setzen dürfen.

»Irgendwo in der Sonne sitzt die Gradiva, fängt Eidechsen und spricht dazu« – an welchen Eindruck des Tages klingt dieser Teil des Traumes an? Unzweifelhaft an die Begegnung mit dem älteren Herrn, dem Eidechsenfänger, der also im Traum durch die Gradiva ersetzt ist. Der saß oder lag an »einem heißbesonnten« Abhang und sprach auch Hanold an. Auch die Reden der Gradiva im Traum sind nach der Rede jenes Mannes kopiert. Man vergleiche: »Das vom Kollegen Eimer angegebene Mittel ist wirklich gut, ich habe es schon mehrmals mit bestem Erfolg angewendet. Bitte, halten Sie sich ganz ruhig –.« Ganz ähnlich spricht die Gradiva im Traum, nur daß der Kollege Eimer durch eine unbenannte Kollegin ersetzt ist; auch ist das »mehrmals« aus der Rede des Zoologen im Traume weggeblieben und die Bindung der Sätze etwas geändert worden. Es scheint also, daß dieses Erlebnis des Tages durch einige Abänderungen und Entstellungen zum Traume umgewandelt worden ist. Warum gerade dieses, und was bedeuten die Entstellungen, der Ersatz des alten Herrn durch die Gradiva und die Einführung der rätselhaften »Kollegin«?

Es gibt eine Regel der Traumdeutung, welche lautet: Eine im Traum gehörte Rede stammt immer von einer im Wachen gehörten oder selbst gehaltenen Rede ab. Nun, diese Regel scheint hier befolgt, die Rede der Gradiva ist nur eine Modifikation der bei Tag gehörten Rede des alten Zoologen. Eine andere Regel der Traumdeutung würde uns sagen, die Ersetzung einer Person durch eine andere oder die Vermengung zweier Personen, indem etwa die eine in einer Situation gezeigt wird, welche die andere charakterisiert, bedeutet eine Gleichstellung der beiden Personen, eine Übereinstimmung zwischen denselben. Wagen wir es, auch diese Regel auf unseren Traum anzuwenden, so ergäbe sich die Übersetzung: die Gradiva fängt Eidechsen wie jener Alte, versteht sich auf den Eidechsenfang wie er. Verständlich ist dieses Ergebnis gerade noch nicht, aber wir haben ja noch ein anderes Rätsel vor uns. Auf welchen Eindruck des Tages sollen wir die »Kollegin« beziehen, die im Traum den berühmten Zoologen Eimer ersetzt? Wir haben da zum Glück nicht viel Auswahl, es kann nur ein anderes Mädchen als Kollegin gemeint sein, also jene sympathische junge Dame, in der Hanold eine in Gesellschaft ihres Bruders reisende Schwester erkannt hatte. »Sie trug eine rote Sorrentiner Rose am Kleid, deren Anblick an etwas im Gedächtnis des aus seiner Stubenecke Hinüberschauenden rührte, ohne daß er sich darauf besinnen konnte, was es sei.« Diese Bemerkung des Dichters gibt uns wohl das Recht, sie für die »Kollegin« im Traume in Anspruch zu nehmen. Das, was Hanold nicht erinnern konnte, war gewiß nichts anderes als das Wort der vermeintlichen Gradiva, glücklicheren Mädchen bringe man im Frühling Rosen, als sie die weiße Gräberblume von ihm verlangte. In dieser Rede lag aber eine Werbung verborgen. Was mag das nun für ein Eidechsenfang sein, der dieser glücklicheren Kollegin so gut gelungen?

Am nächsten Tage überrascht Hanold das vermeintliche Geschwisterpaar in zärtlicher Umarmung und kann so seinen Irrtum vom Vortage berichtigen. Es ist wirklich ein Liebespaar, und zwar auf der Hochzeitsreise begriffen, wie wir später erfahren, als die beiden das dritte Beisammensein Hanolds mit der Zoë so unvermutet stören. Wenn wir nun annehmen wollen, daß Hanold, der sie bewußt für Geschwister hält, in seinem Unbewußten sogleich ihre wirkliche Beziehung erkannt hat, die sich tags darauf so unzweideutig verrät, so ergibt sich allerdings ein guter Sinn für die Rede der Gradiva im Traume. Die rote Rose wird dann zum Symbol der Liebesbeziehung; Hanold versteht, daß die beiden das sind, wozu er und die Gradiva erst werden sollen, der Eidechsenfang bekommt die Bedeutung des Männerfanges, und die Rede der Gradiva heißt etwa: Laß mich nur machen, ich verstehe es ebenso gut, mir einen Mann zu gewinnen wie dieses andere Mädchen.

Warum mußte aber dieses Durchschauen der Absichten der Zoë durchaus in der Form der Rede des alten Zoologen im Traume erscheinen? Warum die Geschicklichkeit Zoës im Männerfang durch die des alten Herrn im Eidechsenfang dargestellt werden? Nun, wir haben es leicht, diese Frage zu beantworten: wir haben längst erraten, daß der Eidechsenfänger kein anderer ist als der Zoologieprofessor Bertgang, Zoës Vater, der ja auch Hanold kennen muß, so daß sich verstehen läßt, daß er Hanold wie einen Bekannten anredet. Nehmen wir von neuem an, daß Hanold im Unbewußten den Professor gleichfalls sofort erkannt habe, - »Ihm war's dunkel, das Gesicht des Lacertenjägers sei schon einmal, wahrscheinlich in einem der beiden Gasthöfe, an seinen Augen vorübergegangen - «, so erklärt sich die sonderbare Einkleidung des der Zoë beigelegten Vorsatzes. Sie ist die Tochter des Eidechsenfängers, sie hat diese Geschicklichkeit von ihm.

Die Ersetzung des Eidechsenfängers durch die Gradiva im Trauminhalt ist also die Darstellung für die im Unbewußten erkannte Beziehung der beiden Personen; die Einführung der »Kollegin« an Stelle des Kollegen Eimer gestattet es dem Traum, das Verständnis ihrer Werbung um den Mann zum Ausdruck zu bringen. Der Traum hat bisher zwei der Erlebnisse des Tages zu einer Situation zusammengeschweißt, »verdichtet«, wie wir sagen, um zwei Einsichten, die nicht bewußt werden durften, einen allerdings sehr unkenntlichen Ausdruck zu verschaffen. Wir können aber weiter gehen, die Sonderbarkeit des Traumes noch mehr verringern und den Einfluß auch der anderen Tageserlebnisse auf die Gestaltung des manifesten Traumes nachweisen.

Wir könnten uns unbefriedigt durch die bisherige Auskunft erklären, weshalb gerade die Szene des Eidechsenfanges zum Kern des Traumes gemacht worden ist, und vermuten, daß noch andere Elemente in den Traumgedanken für die Auszeichnung der »Eidechse« im manifesten Traum mit ihrem Einfluß eingetreten sind. Es könnte wirklich leicht so sein. Erinnern wir uns, daß Hanold einen Spalt in der Mauer entdeckt hatte, an der Stelle, wo ihm die Gradiva zu verschwinden schien, der »immerhin breit genug war, um eine Gestalt von ungewöhnlicher Schlankheit« durchschlüpfen zu lassen. Durch diese Wahrnehmung wurde er bei Tag zu einer Abänderung in seinem Wahn veranlaßt, die Gradiva versinke nicht im Boden, wenn sie seinen Blicken entschwinde, sondern begebe sich auf diesem Wege in ihre Gruft zurück. In seinem unbewußten Denken mochte er sich sagen, er habe jetzt die natürliche Erklärung für das überraschende Verschwinden des Mädchens gefunden. Muß aber nicht das sich durch enge Spalten Zwängen und das Verschwinden in solchen Spalten an das Benehmen von Lacerten erinnern? Verhält sich die Gradiva dabei nicht selbst wie ein flinkes Eidechslein? Wir meinen also, diese Entdeckung des Spaltes in der Mauer habe mitbestimmend auf die Auswahl des Elementes »Eidechse« für den manifesten Trauminhalt gewirkt, die Eidechsensituation des Traumes vertrete ebensowohl diesen Eindruck des Tages wie die Begegnung mit dem Zoologen, Zoës Vater.

Und wenn wir nun, kühn geworden, versuchen wollten, auch für das eine, noch nicht verwertete Erlebnis des Tages, die Entdeckung des dritten Albergo »del Sole«, eine Vertretung im Trauminhalt zu finden? Der Dichter hat diese Episode so ausführlich behandelt und so vielerlei an sie geknüpft, daß wir uns verwundern müßten, wenn sie allein keinen Beitrag zur Traumbildung abgegeben hätte. Hanold tritt in dieses Wirtshaus, welches ihm wegen seiner abgelegenen Lage und Entfernung vom Bahnhofe unbekannt geblieben war, um sich eine Flasche kohlensauren Wassers gegen seinen Blutandrang geben zu lassen. Der Wirt benützt diese Gelegenheit, um seine Antiquitäten anzupreisen, und zeigt ihm eine Spange, die angeblich jenem pompejanischen Mädchen angehört hatte, das in der Nähe des Forums in inniger Umschlingung mit seinem Geliebten aufgefunden wurde. Hanold, der diese oft wiederholte Erzählung bisher niemals geglaubt, wird jetzt durch eine ihm unbekannte Macht genötigt, an die Wahrheit dieser rührenden Geschichte und an die Echtheit des Fundstückes zu glauben, erwirbt die Fibula und verläßt mit seinem Erwerb den Gasthof. Im Fortgehen sieht er an einem der Fenster einen in ein Wasserglas gestellten, mit weißen Blüten behängten Asphodelosschaft herabnicken und empfindet diesen Anblick als eine Beglaubigung der Echtheit seines neuen Besitztums. Die wahrhafte Überzeugung durchdringt ihn jetzt, die grüne Spange habe der Gradiva angehört, und sie sei das Mädchen gewesen, das in der Umarmung ihres Geliebten gestorben sei. Die quälende Eifersucht, die ihn dabei erfaßt, beschwichtigt er durch den Vorsatz, sich am nächsten Tage bei der Gradiva selbst durch das Vorzeigen der Spange Sicherheit wegen seines Argwohnes zu holen. Dies ist doch ein sonderbares Stück neuer Wahnbildung, und es sollte keine Spur im Traume der nächstfolgenden Nacht darauf hinweisen!

Es wird uns wohl der Mühe wert sein, uns die Entstehung dieses Wahnzuwachses verständlich zu machen, das neue Stück unbewußter Einsicht aufzusuchen, das sich durch das neue Stück Wahn ersetzt. Der Wahn entsteht unter dem Einfluß des Wirtes vom Sonnenwirtshaus, gegen den sich Hanold so merkwürdig leichtgläubig benimmt, als hätte er eine Suggestion von ihm empfangen. Der Wirt zeigt ihm eine metallene Gewandfibel als echt und als Besitztum jenes Mädchens, das in den Armen seines Geliebten verschüttet aufgefunden wurde, und Hanold, der kritisch genug sein könnte, um die Wahrheit der Geschichte sowie die Echtheit der Spange zu bezweifeln, ist sofort gläubig gefangen und erwirbt die mehr als zweifelhafte

Antiquität. Es ist ganz unverständlich, warum er sich so benehmen sollte, und es deutet nichts darauf, daß die Persönlichkeit des Wirtes selbst uns dieses Rätsel lösen könnte. Es ist aber noch ein anderes Rätsel in dem Vorfall, und zwei Rätsel lösen sich gern miteinander. Beim Verlassen des Albergo erblickt er einen Asphodelosschaft im Glase an einem Fenster und findet in ihm eine Beglaubigung für die Echtheit der Metallspange. Wie kann das nur zugehen? Dieser letzte Zug ist zum Glück der Lösung leicht zugänglich. Die weiße Blume ist wohl dieselbe, die er zu Mittag der Gradiva geschenkt, und es ist ganz richtig, daß durch ihren Anblick an einem der Fenster dieses Gasthofes etwas bekräftigt wird. Freilich nicht die Echtheit der Spange, aber etwas anderes, was ihm schon bei der Entdeckung dieses bisher übersehenen Albergo klar geworden. Er hatte bereits am Vortage sich so benommen, als suchte er in den beiden Gasthöfen Pompejis, wo die Person wohne, die ihm als Gradiva erscheine. Nun, da er so unvermuteterweise auf einen dritten stößt, muß er sich im Unbewußten sagen: Also hier wohnt sie; und dann beim Weggehen: Richtig, da ist ja die Asphodelosblume, die ich ihr gegeben; das ist also ihr Fenster. Dies wäre also die neue Einsicht, die sich durch den Wahn ersetzt, die nicht bewußt werden kann, weil ihre Voraussetzung, die Gradiva sei eine Lebende, von ihm einst gekannte Person, nicht bewußt werden konnte.

Wie soll nun aber die Ersetzung der neuen Einsicht durch den Wahn vor sich gegangen sein? Ich meine so, daß das Überzeugungsgefühl, welches der Einsicht anhaftete, sich behaupten konnte und erhalten blieb, während für die bewußtseinsunfähige Einsicht selbst ein anderer, aber durch Denkverbindung mit ihr verknüpfter Vorstellungsinhalt eintrat. So geriet nun das Überzeugungsgefühl in Verbindung mit einem ihm eigentlich fremden Inhalt, und dieser letztere gelangte als Wahn zu einer ihm selbst nicht gebührenden Anerkennung. Hanold überträgt seine Überzeugung, daß die Gradiva in diesem Hause wohne, auf andere Eindrücke, die er in diesem Hause empfängt, wird auf solche Weise gläubig für die Reden des Wirtes, die Echtheit der Metallspange und die Wahrheit der Anekdote von dem in Umarmung aufgefundenen Liebespaar, aber nur auf dem Wege, daß er das in diesem Hause Gehörte mit der Gradiva in Beziehung bringt. Die in ihm bereitliegende Eifersucht bemächtigt sich dieses Materials, und es entsteht, selbst im Widerspruch mit seinem ersten Traum, der Wahn, daß die Gradiva jenes in den Armen ihres Liebhabers verstorbene Mädchen war, und daß ihr jene von ihm erworbene Spange gehört hat.

Wir werden aufmerksam darauf, daß das Gespräch mit der Gradiva und ihre leise Werbung »durch die Blume« bereits wichtige Veränderungen bei Hanold hervorgerufen haben. Züge von männlicher Begehrlichkeit, Komponenten der

Libido, sind bei ihm erwacht, die allerdings der Verhüllung durch bewußte Vorwände noch nicht entbehren können. Aber das Problem der »leiblichen Beschaffenheit« der Gradiva, das ihn diesen ganzen Tag über verfolgt, kann doch seine Abstammung von der erotischen Wißbegierde des Jünglings nach dem Körper des Weibes nicht verleugnen, auch wenn es durch die bewußte Betonung des eigentümlichen Schwebens der Gradiva zwischen Tod und Leben ins Wissenschaftliche gezogen werden soll. Die Eifersucht ist ein weiteres Zeichen der erwachenden Aktivität Hanolds in der Liebe; er äußert diese Eifersucht zu Eingang der Unterredung am nächsten Tage und setzt es dann mit Hilfe eines neuen Vorwandes durch, den Körper des Mädchens zu berühren und sie, wie in längst vergangenen Zeiten, zu schlagen.

Nun aber ist es Zeit, uns zu fragen, ob denn der Weg der Wahnbildung, den wir aus der Darstellung des Dichters erschlossen haben, ein sonst bekannter oder ein überhaupt möglicher sei. Aus unserer ärztlichen Kenntnis können wir nur die Antwort geben, es sei gewiß der richtige Weg, vielleicht der einzige, auf dem überhaupt der Wahn zu der unerschütterlichen Anerkennung gelangt, die zu seinen klinischen Charakteren gehört. Wenn der Kranke so fest an seinen Wahn glaubt, so geschieht dies nicht durch eine Verkehrung seines Urteilsvermögens, und rührt nicht von dem her, was am Wahne irrig ist. Sondern in jedem Wahn steckt auch ein Körnchen Wahrheit, es ist etwas an ihm, was wirklich den Glauben verdient, und dieses ist die Quelle der also so weit berechtigten Überzeugung des Kranken. Aber dieses Wahre war lange Zeit verdrängt; wenn es ihm endlich gelingt, diesmal in entstellter Form zum Bewußtsein durchzudringen, so ist das ihm anhaftende Überzeugungsgefühl wie zur Entschädigung überstark, haftet nun am Entstellungsersatz des verdrängten Wahren und schützt denselben gegen jede kritische Anfechtung. Die Überzeugung verschiebt sich gleichsam von dem unbewußten Wahren auf das mit ihm verknüpfte, bewußte Irrige, und bleibt gerade infolge dieser Verschiebung dort fixiert. Der Fall von Wahnbildung, der sich aus Hanolds erstem Traum ergab, ist nichts als ein ähnliches, wenn auch nicht identisches Beispiel einer solchen Verschiebung. Ja, die geschilderte Entstehungsweise der Überzeugung beim Wahne ist nicht einmal grundsätzlich von der Art verschieden, wie sich Überzeugung in normalen Fällen bildet, wo die Verdrängung nicht im Spiele ist. Wir alle heften unsere Überzeugung an Denkinhalte, in denen Wahres mit Falschem vereint ist, und lassen sie vom ersteren aus sich über das letztere erstrecken. Sie diffundiert gleichsam von dem Wahren her über das assoziierte Falsche und schützt dieses, wenn auch nicht so unabänderlich wie beim Wahn, gegen die verdiente Kritik. Beziehungen, Protektion gleichsam, können auch in der Normalpsychologie den eigenen Wert ersetzen. –

Ich will nun zum Traum zurückkehren und einen kleinen, aber nicht uninteressanten Zug hervorheben, der zwischen zwei Anlässen des Traumes eine Verbindung herstellt. Die Gradiva hatte die weiße Asphodelosblüte in einen gewissen Gegensatz zur roten Rose gebracht; das Wiederfinden des Asphodelos am Fenster des Albergo del Sole wird zu einem wichtigen Beweisstück für die unbewußte Einsicht Hanolds, die sich im neuen Wahn ausdrückt, und dem reiht sich an, daß die rote Rose am Kleid des sympathischen jungen Mädchens Hanold im Unbewußten zur richtigen Würdigung ihres Verhältnisses zu ihrem Begleiter verhilft, so daß er sie im Traum als »Kollegin« auftreten lassen kann.

Wo findet sich nun aber im manifesten Trauminhalt die Spur und Vertretung jener Entdeckung Hanolds, welche wir durch den neuen Wahn ersetzt fanden, der Entdeckung, daß die Gradiva mit ihrem Vater in dem dritten versteckten Gasthof Pompejis, im Albergo del Sole wohne? Nun, es steht ganz und nicht einmal sehr entstellt im Traume drin; ich scheue mich nur darauf hinzuweisen, denn ich weiß, selbst bei den Lesern, deren Geduld so weit bei mir ausgehalten hat, wird sich nun ein starkes Sträuben gegen meine Deutungsversuche regen. Die Entdeckung Hanolds ist im Trauminhalt, wiederhole ich, voll mitgeteilt, aber so geschickt versteckt, daß man sie notwendig übersehen muß. Sie ist dort hinter einem Spiel mit Worten, einer Zweideutigkeit geborgen. »Irgendwo in der Sonne sitzt die Gradiva,« das haben wir mit Recht auf die Örtlichkeit bezogen, an welcher Hanold den Zoologen, ihren Vater, traf. Aber soll es nicht auch heißen können: in der »Sonne«, d. i. im Albergo del Sole, im Gasthaus zur Sonne wohnt die Gradiva? Und klingt das »Irgendwo«, welches auf die Begegnung mit dem Vater keinen Bezug hat, nicht gerade darum so heuchlerisch unbestimmt, weil es die bestimmte Auskunft über den Aufenthalt der Gradiva einleitet? Ich bin nach meiner sonstigen Erfahrung in der Deutung realer Träume eines solchen Verständnisses der Zweideutigkeit ganz sicher, aber ich getraute mich wirklich nicht, dieses Stückchen Deutungsarbeit meinen Lesern vorzulegen, wenn der Dichter mir nicht hier seine mächtige Hilfe leihen würde. Am nächsten Tage legt er dem Mädchen beim Anblick der Metallspange das nämliche Wortspiel in den Mund, welches wir für die Deutung der Stelle im Trauminhalt annehmen. »Hast du sie vielleicht in der Sonne gefunden, die macht hier solche Kunststücke.« Und da Hanold diese Rede nicht versteht, erläutert sie, sie meine den Gasthof zur Sonne, die sie hier »Sole« heißen, von woher auch ihr das angebliche Fundstück bekannt ist.

Und nun möchten wir den Versuch wagen, den »merkwürdig unsinnigen« Traum Hanolds durch die hinter ihm verborgenen, ihm möglichst unähnlichen, unbewußten Gedanken zu ersetzen. Etwa so: »Sie wohnt ja in der Sonne mit ihrem Vater, warum spielt sie solches Spiel mit mir? Will sie ihren Spott mit mir treiben? Oder sollte es möglich sein, daß sie mich liebt und mich zum Manne nehmen will?« – Auf diese letztere Möglichkeit erfolgt wohl noch im Schlaf die abweisende Antwort: das sei ja die reinste Verrücktheit, die sich scheinbar gegen den ganzen manifesten Traum richtet.

Kritische Leser haben nun das Recht, nach der Herkunft jener bisher nicht begründeten Einschaltung zu fragen, die sich auf das Verspottetwerden durch die Gradiva bezieht. Darauf gibt die »Traumdeutung« die Antwort, wenn in den Traumgedanken Spott, Hohn, erbitterter Widerspruch vorkommt, so wird dies durch die unsinnige Gestaltung des manifesten Traumes, durch die Absurdität im Traume ausgedrückt. Letztere bedeutet also kein Erlahmen der psychischen Tätigkeit, sondern ist eines der Darstellungsmittel, deren sich die Traumarbeit bedient. Wie immer an besonders schwierigen Stellen kommt uns auch hier der Dichter zu Hilfe. Der unsinnige Traum hat noch ein kurzes Nachspiel, in dem ein Vogel einen lachenden Ruf ausstößt und die Lacerte im Schnabel davonträgt. Einen solchen lachenden Ruf hatte Hanold aber nach dem Verschwinden der Gradiva gehört. Er kam wirklich von der Zoë her, die den düsteren Ernst ihrer Unterweltsrolle mit diesem Lachen von sich abschüttelte. Die Gradiva hatte ihn wirklich ausgelacht. Das Traumbild aber, wie der Vogel die Lacerte davonträgt, mag an jenes andere in einem früheren Traum erinnern, in dem der Apoll von Belvedere die kapitolinische Venus davontrug.

Vielleicht besteht noch bei manchem Leser der Eindruck, daß die Übersetzung der Situation des Eidechsenfanges durch die Idee der Liebeswerbung nicht genügend gesichert sei. Da mag denn der Hinweis zur Unterstützung dienen, daß Zoë in dem Gespräch mit der Kollegin das nämliche von sich bekennt, was Hanolds Gedanken von ihr vermuten, indem sie mitteilt, sie sei sicher gewesen, sich in Pompeji etwas Interessantes »auszugraben«. Sie greift dabei in den archäologischen Vorstellungskreis, wie er mit seinem Gleichnis vom Eidechsenfang in den zoologischen, als ob sie einander entgegenstreben würden und jeder die Eigenart des anderen annehmen wollte.

So hätten wir die Deutung auch dieses zweiten Traumes erledigt. Beide sind unserem Verständnis zugänglich geworden unter der Voraussetzung, daß der Träumer in seinem unbewußten Denken all das weiß, was er im bewußten vergessen hat, all das dort richtig beurteilt, was er hier wahnhaft verkennt. Dabei haben wir freilich manche Behauptung aufstellen müssen, die dem Leser, weil fremd, auch befremdlich klang, und wahrscheinlich oft den Verdacht erweckt, daß wir für den Sinn des Dichters ausgeben, was nur unser eigener Sinn ist. Wir sind alles zu tun bereit, um diesen Verdacht zu zerstreuen, und wollen darum einen der heikelsten Punkte - ich meine die Verwendung zweideutiger Worte und Reden wie im Beispiele: Irgendwo in der Sonne sitzt die Gradiva - gern ausführlicher in Betrachtung ziehen.

Es muß jedem Leser der »Gradiva« auffallen, wie häufig der Dichter seinen beiden Hauptpersonen Reden in den Mund legt, die zweierlei Sinn ergeben. Bei Hanold sind diese Reden eindeutig gemeint, und nur seine Partnerin, die Gradiva, wird von deren anderem Sinn ergriffen. So, wenn er nach ihrer ersten Antwort ausruft: Ich wußte es, so klänge deine Stimme, und die noch unaufgeklärte Zoë fragen muß, wie das möglich sei, da er sie noch nicht sprechen gehört habe. In der zweiten Unterredung wird das Mädchen für einen Augenblick an seinem Wahne irre, da er versichert, er habe sie sofort erkannt. Sie muß diese Worte in dem Sinne verstehen, der für sein Unbewußtes richtig ist als Anerkennung ihrer in die Kindheit zurückreichenden Bekanntschaft, während er natürlich von dieser Tragweite seiner Rede nichts weiß und sie auch nur durch Beziehung auf den ihn beherrschenden Wahn erläutert. Die Reden des Mädchens hingegen, in deren Person die hellste Geistesklarheit dem Wahn entgegengestellt wird, sind mit Absicht zweideutig gehalten. Der eine Sinn derselben schmiegt sich dem Wahne Hanolds an, um in sein bewußtes Verständnis dringen zu können, der andere erhebt sich über den Wahn und gibt uns in der Regel die Übersetzung desselben in die von ihm vertretene unbewußte Wahrheit. Es ist ein Triumph des Witzes, den Wahn und die Wahrheit in der nämlichen Ausdrucksform darstellen zu können.

Durchsetzt von solchen Zweideutigkeiten ist die Rede der Zoë, in welcher sie der Freundin die Situation aufklärt und sich gleichzeitig von ihrer störenden Gesellschaft befreit; sie ist eigentlich aus dem Buche herausgesprochen, mehr für uns Leser als für die glückliche Kollegin berechnet. In den Gesprächen mit Hanold ist der Doppelsinn meist dadurch hergestellt, daß Zoë sich der Symbolik bedient, welche wir im ersten Traume Hanolds befolgt fanden, der Gleichstellung von Verdrängung und Verschüttung, Pompeji und Kindheit. So kann sie mit ihren Reden einerseits in der Rolle verbleiben, die ihr der Wahn Hanolds anweist, anderseits an die wirklichen Verhältnisse rühren und im Unbewußten Hanolds das Verständnis für dieselben wecken.

»Ich habe mich schon lange daran gewöhnt, tot zu sein.« (G. p. 90.) – »Für mich ist die Blume der Vergessenheit aus deiner Hand die richtige.« (G. p. 90.) In diesen Reden meldet sich leise der Vorwurf, der dann in ihrer letzten Strafpredigt deutlich genug hervorbricht, wo sie ihn mit dem Archäopteryx vergleicht. »Daß jemand erst sterben muß, um lebendig zu werden. Aber für die Archäologen ist das wohl notwendig« (G. p. 141), sagt sie noch nachträglich nach der Lösung des Wahnes, wie um den Schlüssel zu ihren zweideutigen Reden zu geben. Die schönste Anwendung ihrer Symbolik gelingt ihr aber in der Frage: (G. p. 118) »Mir ist's, als hätten wir schon vor zweitausend Jahren einmal so zusammen unser Brot gegessen. Kannst du dich nicht darauf besinnen?«, in welcher Rede die Ersetzung der Kindheit durch die historische Vorzeit und das Bemühen, die Erinnerung an die erstere zu erwecken, ganz unverkennbar sind.

Woher nun diese auffällige Bevorzugung der zweideutigen Reden in der »Gradiva«? Sie erscheint uns nicht als Zufälligkeit, sondern als notwendige Abfolge aus den Voraussetzungen der Erzählung. Sie ist nichts anderes als das Seitenstück zur zweifachen Determinierung der Symptome, insofern die Reden selbst Symptome sind und wie diese aus Kompromissen zwischen Bewußtem und Unbewußtem hervorgehen. Nur daß man den Reden diesen doppelten Ursprung leichter anmerkt als etwa den Handlungen, und wenn es gelingt, was die Schmiegsamkeit des Materials der Rede oftmals ermöglicht, in der nämlichen Fügung von Worten jedem der beiden Redeabsichten guten Ausdruck zu verschaffen, dann liegt das vor, was wir eine »Zweideutigkeit« heißen.

Während der psychotherapeutischen Behandlung eines Wahnes oder einer analogen Störung entwickelt man häufig solche zweideutige Reden beim Kranken, als neue Symptome von flüchtigstem Bestand, und kann auch selbst in die Lage kommen, sich ihrer zu bedienen, wobei man mit dem für das Bewußtsein des Kranken bestimmten Sinn nicht selten das Verständnis für den im Unbewußten giltigen anregt. Ich weiß aus Erfahrung, daß diese Rolle der Zweideutigkeit bei den Uneingeweihten den größten Anstoß zu erregen und die gröbsten Mißverständnisse zu verursachen pflegt, aber der Dichter hatte jedenfalls recht, auch diesen charakteristischen Zug der Vorgänge bei der Traum- und Wahnbildung in seiner Schöpfung zur Darstellung zu bringen.

KAPITEL IV

Mit dem Auftreten der Zoë als Arzt erwache bei uns, sagten wir bereits, ein neues Interesse. Wir würden gespannt sein zu erfahren, ob eine solche Heilung, wie sie von ihr an Hanold vollzogen wird, begreiflich oder überhaupt möglich ist, ob der Dichter die Bedingungen für das Schwinden eines Wahnes ebenso richtig erschaut hat wie die seiner Entstehung.

Ohne Zweifel wird uns hier eine Anschauung entgegentreten, die dem vom Dichter geschilderten Falle solches prinzipielle Interesse abspricht und kein der Aufklärung bedürftiges Problem anerkennt. Dem Hanold bleibe nichts anderes übrig, als seinen Wahn wieder aufzulösen, nachdem das Objekt desselben, die vermeintliche »Gradiva« selbst, ihn der Unrichtigkeit all seiner Aufstellungen überführe und ihm die natürlichsten Erklärungen für alles Rätselhafte, z. B. woher sie seinen Namen wisse, gebe. Damit wäre die Angelegenheit logisch erledigt; da aber das Mädchen ihm in diesem Zusammenhange ihre Liebe gestanden, lasse der Dichter, gewiß zur Befriedigung seiner Leserinnen, die sonst nicht uninteressante Erzählung mit dem gewöhnlichen glücklichen Schluß, der Heirat, enden. Konsequenter und ebenso möglich wäre der andere Schluß gewesen, daß der junge Gelehrte nach der Aufklärung seines Irrtums mit höflichem Danke von der jungen Dame Abschied nehme und die Ablehnung ihrer Liebe damit motiviere, daß er zwar für antike Frauen aus Bronze oder Stein und deren Urbilder, wenn sie dem Verkehr erreichbar wären, ein intensives Interesse aufbringen könne, mit einem zeitgenössischen Mädchen aus Fleisch und Bein aber nichts anzufangen wisse. Das archäologische Phantasiestück sei eben vom Dichter recht willkürlich mit einer Liebesgeschichte zusammengekittet worden.

Indem wir diese Auffassung als unmöglich abweisen, werden wir erst aufmerksam gemacht, daß wir die an Hanold eintretende Veränderung nicht nur in den Verzicht auf den Wahn zu verlegen haben. Gleichzeitig, ja noch vor der Auflösung des letzteren, ist das Erwachen des Liebesbedürfnisses bei ihm unverkennbar, das dann wie selbstverständlich in die Werbung um das Mädchen ausläuft, welches ihn von seinem Wahn befreit hat. Wir haben bereits hervorgehoben, unter welchen Vorwänden und Einkleidungen die Neugierde nach ihrer leiblichen Beschaffenheit, die Eifersucht und der brutale männliche Bemächtigungstrieb sich bei ihm mitten im Wahne äußern, seitdem die verdrängte Liebessehnsucht ihm den ersten Traum eingegeben hat. Nehmen wir als weiteres Zeugnis hinzu, daß am Abend nach der zweiten Unterredung mit der Gradiva ihm zuerst ein lebendes weibliches Wesen sympathisch erscheint, obwohl er noch seinem früheren Abscheu vor Hochzeitsreisenden die Konzession macht, die Sympathische nicht als Neuvermählte zu erkennen. Am nächsten Vormittag aber macht ihn ein Zufall zum Zeugen des Austausches von Zärtlichkeiten zwischen diesem Mädchen und seinem vermeintlichen Bruder, und da zieht er sich scheu zurück, als hätte er eine heilige Handlung gestört. Der Hohn auf »August und Grete« ist vergessen, der Respekt vor dem Liebesleben bei ihm hergestellt.

So hat der Dichter die Lösung des Wahnes und das Hervorbrechen des Liebesbedürfnisses innigst miteinander verknüpft, den Ausgang in eine Liebeswerbung als notwendig vorbereitet. Er kennt das Wesen des Wahnes eben besser als seine Kritiker, er weiß, daß eine Komponente von verliebter Sehnsucht mit einer Komponente des Sträubens zur Entstehung des Wahnes zusammengetreten sind, und er läßt das Mädchen, welches die Heilung unternimmt, die ihr genehme Komponente im Wahne Hanolds herausfühlen. Nur diese Einsicht kann sie bestimmen, sich seiner Behandlung zu widmen, nur die Sicherheit, sich von ihm geliebt zu wissen, sie bewegen, ihm ihre Liebe zu gestehen. Die Behandlung besteht darin, ihm die verdrängten Erinnerungen, die er von innen her nicht freimachen kann, von außen her wiederzugeben; sie würde aber keine Wirkung äußern, wenn die Therapeutin dabei nicht auf die Gefühle Rücksicht nehmen, und die Übersetzung des Wahnes nicht schließlich lauten würde: Sieh', das bedeutet doch alles nur, daß du mich liebst.

Das Verfahren, welches der Dichter seine Zoë zur Heilung des Wahnes bei ihrem Jugendfreunde einschlagen läßt, zeigt eine weitgehende Ähnlichkeit, nein, eine volle Übereinstimmung im Wesen, mit einer therapeutischen Methode, welche Dr. J. Breuer und der Verfasser im Jahre 1895 in die Medizin eingeführt haben, und deren Vervollkommnung sich der letztere seitdem gewidmet hat. Diese Behandlungsweise, von Breuer zuerst die »kathartische« genannt, vom Verfasser mit Vorliebe als »analytische« bezeichnet, besteht darin, daß man bei den Kranken, die an analogen Störungen wie der Wahn Hanolds leiden, das Unbewußte, unter dessen Verdrängung sie erkrankt sind, gewissermaßen gewaltsam zum Bewußtsein bringt, ganz so wie es die Gradiva mit den verdrängten Erinnerungen an ihre

Kinderbeziehungen tut. Freilich, die Gradiva hat die Erfüllung dieser Aufgabe leichter als der Arzt, sie befindet sich dabei in einer nach mehreren Richtungen ideal zu nennenden Position. Der Arzt, der seinen Kranken nicht von vornherein durchschaut und nicht als bewußte Erinnerung in sich trägt, was in jenem unbewußt arbeitet, muß eine komplizierte Technik zu Hilfe nehmen, um diesen Nachteil auszugleichen. Er muß es lernen, aus den bewußten Einfällen und Mitteilungen des Kranken mit großer Sicherheit auf das Verdrängte in ihm zu schließen, das Unbewußte zu erraten, wo es sich hinter den bewußten Äußerungen und Handlungen des Kranken verrät. Er bringt dann Ähnliches zu stande, wie es Norbert Hanold am Ende der Erzählung selbst versteht, indem er sich den Namen »Gradiva« in »Bertgang« rückübersetzt. Die Störung schwindet dann, während sie auf ihren Ursprung zurückgeführt wird; die Analyse bringt auch gleichzeitig die Heilung.

Die Ähnlichkeit zwischen dem Verfahren der Gradiva und der analytischen Methode der Psychotherapie beschränkt sich aber nicht auf diese beiden Punkte, das Bewußtmachen des Verdrängten und das Zusammenfallen von Aufklärung und Heilung. Sie erstreckt sich auch auf das, was sich als das Wesentliche der ganzen Veränderung herausstellt, auf die Erweckung der Gefühle. Jede dem Wahne Hanolds analoge Störung, die wir in der Wissenschaft als Psychoneurose zu bezeichnen gewohnt sind, hat die Verdrängung eines Stückes des Trieblebens, sagen wir getrost des Sexualtriebes, zur Voraussetzung, und bei jedem Versuch, die unbewußte und verdrängte Krankheitsursache ins Bewußtsein einzuführen, erwacht notwendig die betreffende Triebkomponente zu erneutem Kampf mit den sie verdrängenden Mächten, um sich mit ihnen oft unter heftigen Reaktionserscheinungen zum endlichen Ausgang abzugleichen. In einem Liebesrezidiv vollzieht sich der Prozeß der Genesung, wenn wir alle die mannigfaltigen Komponenten des Sexualtriebes als »Liebe« zusammenfassen, und dies Rezidiv ist unerläßlich, denn die Symptome, wegen deren die Behandlung unternommen wurde, sind nichts anderes als Niederschläge früherer Verdrängungs- oder Wiederkehrkämpfe und können nur von einer neuen Hochflut der nämlichen Leidenschaften gelöst und weggeschwemmt werden. Jede psychoanalytische Behandlung ist ein Versuch, verdrängte Liebe zu befreien, die in einem Symptom einen kümmerlichen Kompromißausweg gefunden hatte. Ja, die Übereinstimmung mit dem vom Dichter geschilderten Heilungsvorgang in der »Gradiva« erreicht ihre Höhe, wenn wir hinzufügen, daß auch in der analytischen Psychotherapie die wiedergeweckte Leidenschaft, sei sie Liebe oder Haß, jedesmal die Person des Arztes zu ihrem Objekte wählt.

Dann setzen freilich die Unterschiede ein, welche den Fall der Gradiva zum Idealfall machen, den die ärztliche Technik nicht erreichen kann. Die Gradiva kann die aus dem Unbewußten zum Bewußtsein durchdringende Liebe erwidern, der Arzt kann es nicht; die Gradiva ist selbst das Objekt der früheren, verdrängten Liebe gewesen, ihre Person bietet der befreiten Liebesstrebung sofort ein begehrenswertes Ziel. Der Arzt ist ein Fremder gewesen und muß trachten, nach der Heilung wieder ein Fremder zu werden; er weiß den Geheilten oft nicht zu raten, wie sie ihre wiedergewonnene Liebesfähigkeit im Leben verwenden können. Mit welchen Auskunftsmitteln und Surrogaten sich dann der Arzt behilft, um sich dem Vorbild einer Liebesheilung, das uns der Dichter gezeichnet, mit mehr oder weniger Erfolg zu nähern, das anzudeuten, würde uns viel zu weit weg von der uns vorliegenden Aufgabe führen. –

Nun aber die letzte Frage, deren Beantwortung wir bereits einigemal aus dem Wege gegangen sind. Unsere Anschauungen über die Verdrängung, die Entstehung eines Wahnes und verwandter Störungen, die Bildung und Auflösung von Träumen, die Rolle des Liebeslebens und die Art der Heilung bei solchen Störungen sind ja keineswegs Gemeingut der Wissenschaft, geschweige denn bequemer Besitz der Gebildeten zu nennen. Ist die Einsicht, welche den Dichter befähigt, sein »Phantasiestück« so zu schaffen, daß wir es wie eine reale Krankengeschichte zergliedern können, von der Art einer Kenntnis, so wären wir begierig, die Quellen dieser Kenntnis kennen zu lernen. Einer aus dem Kreise, der, wie eingangs ausgeführt, an den Träumen in der »Gradiva« und deren möglichen Deutung Interesse nahm, wandte sich an den Dichter mit der direkten Anfrage, ob ihm von den so ähnlichen Theorien in der Wissenschaft etwas bekannt worden sei. Der Dichter antwortete, wie vorauszusehen war, verneinend und sogar etwas unwirsch. Seine Phantasie habe ihm die »Gradiva« eingegeben, an der er seine Freude gehabt habe; wem sie nicht gefalle, der möge sie eben stehen lassen. Er ahnte nicht, wie sehr sie den Lesern gefallen hatte.

Es ist sehr leicht möglich, daß die Ablehnung des Dichters nicht dabei Halt macht. Vielleicht stellt er überhaupt die Kenntnis der Regeln in Abrede, deren Befolgung wir bei ihm nachgewiesen haben, und verleugnet alle die Absichten, die wir in seiner Schöpfung erkannt haben. Ich halte dies nicht für unwahrscheinlich; dann aber sind nur zwei Fälle möglich. Entweder wir haben ein rechtes Zerrbild der Interpretation geliefert, indem wir in ein harmloses Kunstwerk Tendenzen verlegt haben, von denen dessen Schöpfer keine Ahnung hatte, und haben damit wieder einmal bewiesen, wie leicht es ist, das zu finden, was man sucht, und wovon man selbst erfüllt ist, eine Möglichkeit, für die in der Literaturgeschichte die seltsamsten

Beispiele verzeichnet sind. Mag nun jeder Leser selbst mit sich einig werden, ob er sich dieser Aufklärung anzuschließen vermag; wir halten natürlich an der anderen, noch erübrigenden Auffassung fest. Wir meinen, daß der Dichter von solchen Regeln und Absichten nichts zu wissen brauche, so daß er sie in gutem Glauben verleugnen könne, und daß wir doch in seiner Dichtung nichts gefunden haben, was nicht in ihr enthalten ist. Wir schöpfen wahrscheinlich aus der gleichen Quelle, bearbeiten das nämliche Objekt, ein jeder von uns mit einer anderen Methode, und die Übereinstimmung im Ergebnis scheint dafür zu bürgen, daß beide richtig gearbeitet haben. Unser Verfahren besteht in der bewußten Beobachtung der abnormen seelischen Vorgänge bei Anderen, um deren Gesetze erraten und aussprechen zu können. Der Dichter geht wohl anders vor; er richtet seine Aufmerksamkeit auf das Unbewußte in seiner eigenen Seele, lauscht den Entwicklungsmöglichkeiten desselben und gestattet ihnen den künstlerischen Ausdruck, anstatt sie mit bewußter Kritik zu unterdrücken. So erfährt er aus sich, was wir bei Anderen erlernen, welchen Gesetzen die Betätigung dieses Unbewußten folgen muß, aber er braucht diese Gesetze nicht auszusprechen, nicht einmal sie klar zu erkennen, sie sind infolge der Duldung seiner Intelligenz in seinen Schöpfungen verkörpert enthalten. Wir entwickeln diese Gesetze durch Analyse aus seinen Dichtungen, wie wir sie aus den Fällen realer Erkrankung herausfinden, aber der Schluß scheint unabweisbar, entweder haben beide, der Dichter wie der Arzt, das Unbewußte in gleicher Weise mißverstanden, oder wir haben es beide richtig verstanden. Dieser Schluß ist uns sehr wertvoll; um seinetwegen war es uns der Mühe wert, die Darstellung der Wahnbildung und Wahnheilung sowie die Träume in Jensens »Gradiva« mit den Methoden der ärztlichen Psychoanalyse zu untersuchen.
–

Wir wären am Ende angelangt. Ein aufmerksamer Leser könnte uns noch mahnen, wir hätten eingangs hingeworfen, Träume seien als erfüllt dargestellte Wünsche, und wären dann den Beweis dafür schuldig geblieben. Nun, wir erwidern, unsere Ausführungen könnten wohl zeigen, wie ungerechtfertigt es wäre, die Aufklärungen, die wir über den Traum zu geben haben, mit der einen Formel, der Traum sei eine Wunscherfüllung, decken zu wollen. Aber die Behauptung besteht und ist auch für die Träume in der Gradiva leicht zu erweisen. Die latenten Traumgedanken – wir wissen jetzt, was darunter gemeint ist – können von der mannigfaltigsten Art sein; in der Gradiva sind es »Tagesreste«, Gedanken, die ungehört und unerledigt vom seelischen Treiben des Wachens übrig gelassen sind. Damit aber aus ihnen ein Traum entstehe, wird die Mitwirkung eines – meist unbewußten – Wunsches erfordert; dieser stellt die Triebkraft für die Traumbildung her, die Tagesreste geben das Material dazu. Im ersten Traume Norbert Hanolds konkurrieren zwei Wünsche miteinander, um den Traum zu schaffen, der eine selbst ein bewußtseinsfähiger, der andere freilich dem Unbewußten angehörig und aus der Verdrängung wirksam. Der erste wäre der bei jedem Archäologen begreifliche Wunsch, Augenzeuge jener Katastrophe des Jahres 79 gewesen zu sein. Welches Opfer wäre einem Altertumsforscher wohl zu groß, wenn dieser Wunsch noch anders als auf dem Wege des Traumes zu verwirklichen wäre! Der andere Wunsch und Traumbildner ist erotischer Natur; dabei zu sein, wenn die Geliebte sich zum Schlafen hinlegt, könnte man ihn in grober oder auch unvollkommener Fassung aussprechen. Er ist es, dessen Ablehnung den Traum zum Angsttraum werden läßt. Minder augenfällig sind vielleicht die treibenden Wünsche des zweiten Traumes, aber wenn wir uns an dessen Übersetzung erinnern, werden wir nicht zögern, sie gleichfalls als erotische anzusprechen. Der Wunsch, von der Geliebten gefangen genommen zu werden, sich ihr zu fügen und zu unterwerfen, wie er hinter der Situation des Eidechsenfanges konstruiert werden darf, hat eigentlich passiven, masochistischen Charakter. Am nächsten Tage schlägt der Träumer die Geliebte, wie unter der Herrschaft der gegensätzlichen erotischen Strömung. Aber wir müssen hier innehalten, sonst vergessen wir vielleicht wirklich, daß Hanold und die Gradiva nur Geschöpfe des Dichters sind.

Anzeige.

Die »Schriften zur angewandten Seelenkunde«, deren erstes Heft hiemit vor die Öffentlichkeit tritt, wenden sich an jenen weiteren Kreis von Gebildeten, die, ohne gerade Philosophen oder Mediziner zu sein, doch die Wissenschaft vom Seelischen des Menschen nach ihrer Bedeutung für das Verständnis und die Vertiefung unseres Lebens zu würdigen wissen. Die Abhandlungen werden in zwangloser Folge erscheinen und jedesmal eine einzige Arbeit bringen, welche die Anwendung psychologischer Erkenntnisse auf Themata der Kunst und Literatur, Kultur- und Religionsgeschichte und analoger Gebiete unternimmt. Diese Arbeiten werden bald den Charakter einer exakten Untersuchung, bald den einer spekulativen Bemühung an sich tragen, das eine Mal ein größeres Problem zu umfassen, das andere Mal ein beschränkteres zu durchdringen versuchen; in allen Fällen aber werden sie von der Natur originaler Leistungen sein und es vermeiden, bloßen Referaten oder Kompilationen zu gleichen.

Der Herausgeber fühlt sich verpflichtet, für die Originalität und die allgemeine Würdigkeit der in dieser Sammlung erscheinenden Aufsätze einzustehen. Im übrigen will er weder die Unabhängigkeit seiner Beiträger antasten, noch für die Äußerungen derselben verantwortlich gemacht werden. Daß die ersten Nummern der Sammlung besondere Rücksicht auf die von ihm selbst in der Wissenschaft vertretenen Lehren nehmen, soll für die Auffassung des Unternehmens nicht bestimmend werden. Die Sammlung steht vielmehr den Vertretern abweichender Meinungen offen und hofft, der Mannigfaltigkeit von Gesichtspunkten und Prinzipien in der heutigen Wissenschaft Ausdruck geben zu können.

Der Verlag. Der Herausgeber.

Lightning Source UK Ltd.
Milton Keynes UK
UKHW031456211222
414213UK00011B/743